Grundlegendes zum Universum

Joshua

Grundlegendes zum Universum

Über Entstehung und Sinn des Lebens –
der Dimensionismus als neue Lehre

Die Deutsche Bibliothek verzeichnet diese Publikation in der Deutschen Nationalbibliografie; detaillierte bibliografische Daten sind im Internet unter http://dnb.ddb.de abrufbar

Dieses Buch wird herausgegeben vom Librius Verlag. Für Informationen über weitere Veröffentlichungen und Kontakt zu den Autoren sehen sie die Homepage

http://www.liibrius-verlag.de

4. überarbeitete Auflage
©2009 Librius Verlag, Wangen

ISBN: 978-3-940404-16-9

Druck und Bindung: Lulu Press, NC USA

Vorwort

Mein Name ist Joshua. Der Text, der euch hier erwarten wird, wurde von meinem Schützling Anfang 2006 in nur 3 Tagen a 8 Stunden geschrieben. 24 Stunden reichten, um knapp 40 DIN A4 Seiten zu befüllen. Mit einer Botschaft. Mit Erkenntnissen. Mit neuen Eindrücken. Kurzweg mit dem, was ich damals dachte, sagen zu müssen, durch ihn. Heute, fast 4 Jahre später, hat der Text aus dem Internet heraus gefunden. Schon seit drei Jahren gibt es ihn als Buch, nun in einer vierten Auflage.

Was hat sich seither getan? Im Grunde ist genau das eingetreten, wovor ich in diesem Text warne. Aber dies ist die Botschaft, die ich euch überbringen möchte. Die Botschaft des Dimensionismus! Lest sie, versucht sie zu begreifen und versucht, für euch selbst eine Lehre daraus zu ziehen. Mehr als dies braucht ihr eigentlich nicht, auch wenn längst nicht alles gesagt wurde.

Doch warum sollte weiteres gesagt werden, dieses bisschen reicht schon völlig aus Es liegt an euch, was ihr damit anfangt, ob sich der Dimensionismus in dieser Welt durchsetzen oder ob er im Nichts verpuffen wird…

Diese Dokumentation befasst sich mit der Entstehungsgeschichte unseres Universums, des Lebens im Weltall sowie auf der Erde. Ebenso werden detailliert die Menschen und ihre besondere Rolle im „Schöpfungsplan" betrachtet.

Dabei zeichnet sie sich vor allem dadurch aus, dass sie NICHT von Wissenschaftlern, Theologen oder ähnlichen verfasst wurde. Der Verfasser selbst ist ohnehin nur „Medium" denn jener, welcher diesen Text wirklich diktiert, besitzt keinen festen Körper um zu schreiben. Es handelt sich dabei um eine nicht-inkarnierte Seele, um wen genau erklärt sie später selbst noch. Also ein „Energiewesen" welches ihrem Medium im Geiste diktiert, was es schreiben soll. Dabei versteht sie den folgenden Text ausdrücklich nicht als „gechannelt", da sie sich dieser materiellen Welt so verbunden fühlt, dass auch die Sprache von ihr sich der unseren anpasst. So sollen wir leichter Zugang zu ihrem Wissen und dem, was sie sagt finden und sie besser verstehen. Dies alles sollte erstmal völlig wertfrei gelesen werden, ohne groß darauf zu achten, von wem dieser Text nun stammt...

<u>Eine Kurzübersicht über die im folgenden behandelten Themen:</u>

Entstehung des Universums („Urknall")

Wissenschaft und Esoterik

Die Dimensionen und die 13. Dimension

Liebe und Hass

Schwingungserhöhung - die Zeit drängt!

Schwingungserhöhung von uns ausgehend

Unsere Mitseele

Richtig visualisieren und manifestieren

Die eigene Realität gestalten

Mentales "telefonieren"

Selbstheilung

Ich schreibe hier durch die Hand eines eher einfachen, für eure Verhältnisse „normalen" Menschen. Was „normal" ist und was nicht, das soll hier nicht das Thema sein, viele würden es ohnehin als abnormal betrachten, dass jemand mit mir kommunizieren und ich durch ihn „sprechen" kann. Wer ich bin und warum ich dies schreibe, werde ich zu gegebener Zeit erläutern.

Nun ist es erstmal an euch, mir zu folgen. Auf die wohl fantastischste Reise, die ihr je begangen habt: Zum Anfang unseres gemeinsamen Universums! Ihr alle werdet euch sicher schon einmal gefragt haben, wie alles begann. Wie ist das Universum entstanden? Und viel wichtiger als das „wie", was ihr mit euren Wissenschaftlern ja ganz gut schon erforscht habt, ist ja vielmehr das WARUM. Warum gibt es all das, warum gibt es EUCH – und warum gibt es genau dich persönlich, der du das jetzt liest?

Fragen, die ich euch gerne beantworten will.

Um zu verstehen, warum alles so ist, wie es ist, machen wir dafür zunächst einen kleinen Ausflug in eure Wissenschaft. Denn weder ist die Esoterik so richtig, wie sie sich immer darstellt, noch ist die Wissenschaft so falsch, wie sie von den Esoterikern gern betrachtet wird.

Was jeder von euch zunächst einmal unbedingt wissen muss, ist der allgemeine Satz aus der Physik über Energie:

„Energie kann weder erzeugt noch vernichtet werden. Nur umgewandelt".

Verinnerlicht euch dies für alles Folgende denn es ist der Grundbaustein unseres ganzen Universums!
Beginnen wir nun unsere Reise. Und zwar zu der Zeit, die nach euren Begriffen „VOR" dem Urknall – also vor der Existenz des Universums überhaupt liegt!

Am Anfang war nicht etwa alles ein großes „Nichts" wie viele von euch glauben. Alles, was ihr um euch seht und alles, was ihr NICHT sehen könnt und was dennoch da ist – all dies für euren Verstand so überdimensional viel, war schon von Anbeginn da! Es war nur in einer anderen FORM existent. Es gab keinen „Raum", es gab keine „Materie". Ja nicht einmal ZEIT gab es. Denn es gab auch keine Dimensionen.
Ich versuche euch all das so zu beschreiben, wie es euer Verstand gerade so fassen kann. Denn würde ich euch beschreiben, wie man sich diesen Zustand des „Alls" damals vorzustellen gehabt hatte, ihr würdet verrückt werden, versuchtet ihr es euch geistig vorzustellen. Vor euch sind daran schon Kulturen und Völker gescheitert – an ganz anderen Orten, zu ganz anderen Zeiten. Doch dazu später mehr.

Stellt euch für diesen besonderen Zustand unseres Kosmos nun einfach einmal eine riesige Fläche vor. Ihr denkt räumlich und bildlich also ist es dies, was der Wahrheit am nächsten kommt: Eine riesige Fläche aus Energie. Energie kann auch sichtbar sein, stellt sie euch als „wellenloses Meer" vor. Natürlich – heutzutage wäre ein Energiemeer ebenfalls in einem „Raum", in unserer dimensionierten Welt. Aber diese gab es damals noch nicht. Euer räumliches Denken wird uns beim folgenden noch öfters Schwierigkeiten bereiten, weil ihr denkt, der „Raum" des Weltalls müsste wie eine Kugel ebenfalls in einem Raum liegen. Aber macht euch das klar: Außer diesem Raum GIBT es keinen anderen. Und es gibt kein „außerhalb" des Universums. ALLES ist das Universum und alles andere ist KEIN Universum.

Die gesamte Energie befand sich also in dieser „Ursuppe", in diesem „kein Universum". Und da es auch keine Zeit gab, gab es natürlich auch keine Bewegung. Ihr würdet mit eurem Denken sagen, dass es „lange dauerte", bis die allererste Schwingung auftrat und damit alles in Gang setzte. Vielleicht können wir das so übernehmen indem ihr euch vorstellt, dass trotz der Nichtexistenz einer linear ablaufenden Zeit dennoch auch im zeitlosen Raum natürlich alles mit Begriffen wie „ewiglich" oder „unendlich" definiert werden kann. Das stimmt zwar nicht, denn nichts ist ewiglich oder unendlich doch für euren Verstand würde die exakte Definition einfach zu weit führen an dieser Stelle.

Das interessante ist aber nicht, nach wie viel „Ewigkeiten" die erste Schwingung auftrat, sondern WARUM. Die Frage „warum" ist ohnehin die Fragen aller Fragen. Jede Wirkung hat eine Ursache und umgekehrt.
Viele von euch denken, der „Schöpfer" hätte das Universum geschaffen. Wenn wir uns nun an eine Definition des Begriffes „Schöpfer" wagen, könnte ich dem sogar zustimmen. Es ist in jedem Fall kein „Gott" gewesen wie ihr ihn euch meist vorstellt.

Betrachten wir uns diese allererste Schwingung, die allererste Bewegung, so war diese aufgebaut wie eine Frequenz. Eine Frequenz in einer Intensität wie sie vorher und nachher nie wieder im Kosmos entstanden ist. Dieser „Zündfunke" war im Grunde genommen ein Gedanke! Merkt euch dies gut. Das Universum entstand durch einen Gedanken!
Wer sich ein wenig in der Hirnmedizin auskennt, die bei euch angewendet wird, hat vielleicht schon einmal Geräte gesehen, mit denen Hirnströme gemessen werden. Die Ausdrucke dieser Messgeräte zeigen ebenfalls Frequenzen – die Frequenzen eurer Hirnaktivität – Denkaktivität. Also eurer Gedanken!
Statt Frequenz kann man auch Schwingung oder Wellenbewegung sagen.
Was war aber dies für ein „Gedanke", der dort so extrem durch die starre Energiemasse jagte und alles für immer verändern sollte?
Es war nicht mehr und nicht weniger als der Gedanke der Existenz! So wunderlich sich dies für euch auch anhören mag, ich kann es nicht einfacher oder komplexer beschreiben. Würde man versuchen das ganze in einem Satz zu formulieren, könnte man sagen:

Das Ganze dachte über sich selbst nach, der Gedanke, dass es existiert, erweckte alles zum Leben.

Natürlich werden sich viele von euch jetzt abwenden wollen, weil sie denken ich meine damit, das ganze Universum sei ein lebender „Organismus". Und die Esoteriker werden sich freuen nach dem Motto: „Ich habe es immer gewusst!".

Aber ich muss wieder einmal beide verfeindete Fronten enttäuschen.

Das Universum ist KEIN lebendes „Wesen". Ich habe für euch den Begriff „Gedanke" verwendet, weil er besser ausdrückt als „Frequenz", dass dieser Vorgang gesteuert wurde und bewusst ausgelöst wurde. Und zwar von der Ganzheit dessen, was damals war, an sich. Denn mit dem Gedanken, dass es existierte wurde erst die Grundlage dafür geschaffen, dass es wirklich existieren konnte.

Überlegt euch doch mal, warum ihr denn nur bildlich, räumlich und zeitlich denken könnt. JEDES Lebewesen im Universum denkt so! Und das alles, weil ohne diese Denkmuster kein „Leben" bzw. auch keine Existenz möglich ist!

Darum entstand durch den ersten Gedanken der Existenz das Universum.

Diese erste Frequenz könnt ihr heute noch als „Hintergrundrauschen" messen, es ist das „Nachklingen des Urknalls" und das, was das Universum derzeit auf einer Temperatur von 3 Grad Kelvin hält – bei 0 Grad Kelvin, dem absoluten Nullpunkt (ca. 273 Grad Celsius), würde alle Schwingung im Universum verebben – das Universum wäre nicht länger „existent" so wie es jetzt ist.

In dem Moment, wo alles begann zu existieren, wurden auch die Dimensionen geboren, der „Raum". Denn damit etwas existieren kann, muss es sich räumlich irgendwo manifestieren können! In dieser Sekunde entstand sozusagen die 1. Dimension – die lineare Ausdehnung. Doch die Frequenz konnte nicht auf dieser einen Eben bleiben. Sie musste sich ausdehnen, musste wachsen, das lag in der Natur der Schwingung, liegt in der Natur JEDER Wellenbewegung. Also entstand die 2. Dimension, wodurch sich die Frequenz flach durch alles ziehen konnte was war, die flache Ebene war geboren.

Nun entstanden im Innern der gesamten Kosmosenergie ebenfalls eigenständige Muster. Die erste Schwingung „stieß" sozusagen die Energie an und daraufhin begann sie, ebenfalls zu schwingen und zwar unterschiedlich, „zufällig".
Natürlich nicht wirklich zufällig. Ihr müsst lernen dass der Begriff „Zufall" von euch Menschen erfunden wurde, um etwas zu beschreiben, das über euren Verstand hinaus geht, was ihr euch nicht erklären könnt.
Ein Programm, welches Zufallszahlen berechnet, sollte eigentlich der beste Beweis dafür sein, dass ein „Zufall" gar nicht existiert, weil die Arbeitsweise dieses Programms kann man berechnen, vorherbestimmen, man kann sagen, wie es aufgebaut ist und arbeitet.
Doch lassen wir es in diesem Punkt einmal dabei – wichtig ist nur, dass nun viele, viele weitere Schwingungen sich ausbildeten, die sich nun ebenfalls ausdehnen wollten. Die primitive Welt der 2 Dimensionen reichte hier nicht aus, es musste sich auch in die tiefe ausdehnen können, musste Formen annehmen können. So bildete sich aus diesen vielen neuen Schwingungen das erste Grundgerüst unseres heutigen „Raumes", die „3 Dimensionale Welt" aus Länge, Breite und Tiefe.

Erst ab diesem Punkt können eure Wissenschaftler ungefähr Berechnungen über die ersten Zeitmomente im Kosmos sammeln. Das Universum sah damals in etwa wie ein in die Länge gezogener und in sich verschachtelter Luftballon aus.
Macht aber bitte nun nicht wieder den Fehler euch zu fragen, was AUSSERHALB des Luftballons war. Es GIBT KEIN „Außerhalb". Der Raum der 3. Dimension entstand aus dem der 2. dieser aus der 1. und dieser aus der allumfassenden Energie, die NICHT räumlich strukturiert war.

Daher gibt es NUR diesen Raum, der sich damals bildete und in dem diese ganze Energie vorhanden ist, nichts sonst.
Erst dieser Raum machte es möglich, dass sich die Schwingungen ausbreiten konnten wie sie wollten. Jedoch war in diesem Raum der Faktor „Zeit" von entscheidender Bedeutung. Ihr Menschen könnt euch keine Dimensionen vorstellen, die oberhalb der 3. Stufe liegen und doch erfahrt ihr zumindest ständig von der 4. Dimension, auch wenn ihr sie nicht seht sondern nur fühlt: Die Zeit.
Ihr definiert Zeit als chronologischer Ablauf der Gegenwart. Vor der Existenz dieser ordnenden Struktur war der Zeitablauf jedoch „chaotisch", man konnte also nicht sagen ob etwas Gegenwart, Zukunft oder Vergangenheit ist. Diese ordnende Zeitstruktur war im 3-Dimensionalen Raum nötig, damit die Frequenzen und Schwingungen sich gleichmäßig und geordnet ausbreiten konnten.
Im Grunde regulierte sich dies alles von selbst, pendelte sich ein.

Was wir nun nach diesen ersten minimalen Momentchen der Existent vor uns haben, ist eine riesige, für eure Verhältnisse völlig wirr pulsierende Masse reinster, allumfassender Energie im Raum.

Das nächste, was sich nun bildete, waren die Grundstrukturen der Materie und der Energie, wie sie heute noch existiert. Denn so, wie sie damals war konnte die Energie nicht bleiben. Oder vielleicht wäre es besser zu sagen sie „wollte" nicht so bleiben. Mit dem Beginn der Existenz begann auch der Drang nach Expansion, nach Entwicklung, nach „Erfahrung". Die einfachste Form, welche Energie annehmen kann ist die der Materie. Eure Wissenschaftler haben sehr lange gebraucht, bis sie feststellten, dass Materie lediglich komprimierte Energie darstellt. Denn jedes Atom besteht aus Elektronen, Protonen und Neutronen. Betrachten wir 2 Atome so sind diese schier unendlich von einander entfernt. Dazwischen ist „nichts". Betrachten wir ein einzelnes Atom, so sind die Elektronen ebenso schier unendlich vom Atomkern entfernt.

Dazwischen ist wieder „nichts". Und die Elektronen, Protonen und Neutronen sind ebenfalls aus den von euch sog. „Quarks" aufgebaut – zw. denen ebenfalls von euch bisher noch nicht genau entdeckte Abhängigkeiten bestehen. Ihr könntet noch weit tiefer vordringen, es würde letztlich immer daraus hinauslaufen, dass mehr Zwischenräume zwischen den einzelnen Bestandteilen der „Materie" bestehen, als Materieteilchen – das diese Teilchen wiederum aus „unendlich" vielen kleinen Teilchen bestehen, zw. denen viel „nichts" liegt.

Materie ist also nur eine Ansammlung komprimierter Energie in verschiedensten Formen.

Bei der Bildung dieser Grundbestandteile der Materie, dem Komprimierungsvorgang also, wurde viel Energie umgewandelt. Und bei jeder Umwandlung bleibt ein kleiner Rest zurück, bzw. gehen vielleicht am Ende sogar zwei neue Stoffe daraus hervor. So war es auch hier. Je komplexer die Verdichtungen wurden, umso komplexere Formen der NICHT komprimierten Energie entstanden. Für diese war aber in dieser 4-Dimensionalen Welt kein Platz mehr.

Zu beschreiben was nun geschah ist für mich sehr schwierig. Zum einen, weil es vormals noch von keinem meiner Art an euch vermittelt wurde und zum anderen weil es unglaublich schwer ist, dies in euren Worten auszudrücken.

Diese komplexe Energie schuf sich quasi INNERHALB der existierenden 4 Dimensionen neue Räume, welche dafür geeignet waren, sie aufzunehmen.

Die Struktur, welche die Materie hat, bewirkte dabei, dass es zur Bildung von insgesamt 7 weiteren Dimensionsebenen kam.

All dies in einer für eure Maßstäbe „unendlich" kurzen (!) Zeitspanne. Eine Sekunde wäre hierfür mit dem Begriff „unendlich lange" bemessen.

Also nach eurer Vorstellung wäre demnach nach einer Sekunde „Existenz" des Universums bereits alles so da, wie es heute auch ist: Raum, Zeit, erste Materieteilchen und die 7 weiteren Dimensionen.

Eure Forschung am 12 Dimensionalen Raum ist wirklich faszinierend, ihr kommt dem großen Rätsel näher und näher. Doch ihr bleibt logischerweise immer an dem Punkt hängen wo es darum geht zu ergründen WAS in diesen Dimensionen wirklich abläuft.

Diese 7 Dimensionen sind es, denen wir nun volle Aufmerksamkeit widmen sollten. Denn was ab diesem Zeitpunkt im Universum der unteren 4 Dimensionen ablief, haben eure Wissenschaftler bereits recht gut erforschen können und dort werde ich nur ab und an im Laufe dieser Dokumentation etwas ergänzen.

Stellt euch nun einfach einmal vor, das Umwandlungsprodukt einer Energieverdichtung wechselt in die 5. Dimension über. Dies ist ein Bereich, wo die Zeit bereits wieder losgelöst von der linearen Ordnung der 4. Dimension ist, da diese Ordnung nur nach unten auf die unteren 3 Ebenen wirkt. Diese 5. Ebene dient dazu, die Energie zu „katalysieren" – es ist quasi eine Zwischenstufe. Hier drin verbleibt Energie, welche in ihrer räumlichen Ausdehnung „unendlich" bzw. eben „allumfassend" ist, in ihrer zeitlichen Ausdehnung jedoch beschränkt.
Ich hoffe dies alles ist halbwegs verständlich, ich kann es euch leider nicht einfacher beschreiben. In Wahrheit ist es ja noch viel komplizierter. Ich versuche es euch zu verdeutlichen:
Stellt euch vor ihr hättet ein Fußballfeld, welches so groß ist wie das gesamte Universum. Auf diesem Fußballfeld finden an 4 Tagen Spiele statt und an 3 Tagen keine. Das Fußballfeld liegt nun in der 5. Dimension, sprich linearen Zeitablauf gibt es nicht. WANN finden jetzt welche Spiele statt? Genau um diese Frage zu beantworten, das „Chaos" zu ordnen (das Gegenteilige Wort von „Chaos" heißt „Kosmos" =

Ordnung) wurde die 5. Ebene gebildet. Würden wir auf der Tribüne sitzen und versuchen, von der 4. Dimension aus auf die 5. Ebene zu blicken, könnte man sagen für uns würde es sich so darstellen, wie ein „Traum". Mal spielen Spieler auf dem Platz, mal keine, mal rennen die zwei Mannschaften des ersten Spieltages über den Rasen und in der nächsten Sekunde zwei ganz andere Mannschaften. Für eure Begriffe sicherlich „chaotisch".
Doch habt ihr euch mal eure Träume betrachtet? Wie oft wechselt da die Szene, sitzt ihr erst in einem Auto, nur um dann plötzlich auf dem Gipfel eines Berges zu stehen?
Ich greife an dieser Stelle schon ein großes Stück vor wenn ich euch hier schon verrate, dass eure Gedanken im Traum in der 5. Dimension zu Hause sind.
Doch dazu später mehr, jetzt geht es um das Grundverständnis, das ihr braucht, um euch den wirklich wichtigen Fragen überhaupt stellen zu können.

Wie gesagt, die 5. Ebene ist eine „Zwischenebene" – ein Katalysator der Energie auf die höheren Ebenen. Dort sammelte sich damals alle Energie und Umwandlungsenergie, welche ebenso zeitlich „ungeordnet" pulsierten, jedoch energetisch eben völlig anders strukturiert waren. Die Struktur dieser höchsten Ebenen hat mit dem, was ihr unter „räumlich" betrachtet nicht mehr viel zu tun. Energie kann hier punktuell vorhanden sein und doch überall zugleich.
Als Vergleich möchte ich den Aufbau des Wasserstoffatoms zu Rate ziehen. Es ist das einfachste Atom, welches sich bildete, als alle Energie

sich in der „richtigen Ebene" befand und die Verdichtung der Materie ihren 1. Höhepunkt erreicht hatte. Das Wasserstoffatom besteht „lediglich" aus einem Proton und einem Elektron, das darum kreist. Nun kreist dieses allerdings nicht wie ein Planet um Sonnen, wobei man es durchaus damit vergleichen kann, was die Abhängigkeitsverhältnisse betrifft. Doch kreist es so schnell um das Proton, dass es selbst in einer Momentaufnahme so aussieht, als sei es überall zur selben Zeit, als bilde es eine „Wolke" um das Proton.

So ungefähr (aber wirklich nur ungefähr) müsst ihr euch die Energie in den höchsten 6 Dimensionen vorstellen: Punktuell vorhanden wie ein Elektron – und doch überall zugleich. Hier kann man vom Begriff „Transzendent" sprechen.

Ihr merkt vielleicht wie schwer dieses Thema langsam wird, wenn wir uns auch noch vorstellen müssen, dass die Eigenschaften des nichtlinearen Zeitablaufs etc. ebenfalls noch dazu kommen.
Ohne nun diese 6 Ebenen derzeit weiter aufteilen zu wollen, da dies wirklich über euer Verständnis gehen würde, will ich euch nur vermitteln, dass die Energie auf diesen Ebenen dazu fähig ist, an jedem Punkt im All zu sein, wo sie „will" und dort so lange zu bleiben, wie es ihr beliebt. Warum dieser Punkt so elementar wichtig ist, werdet ihr bald verstehen.
Damit sei an dieser Stelle der allgemeine, grundlegende Aufbau des Raumes, in dem ihr euch bewegt, genug beschrieben.
Wir befassen uns nun mit dem Aufbau der Energie in diesen höchsten Ebenen.

Alle Energie war nun also an den für sie ideal geeigneten Plätzen angekommen. Die Entstehung des Alls war abgeschlossen. Nun begann die Entwicklung.

Und da in den unteren 4 Dimensionen die Zeit linear verläuft, können ab hier nun auch eure Wissenschaftler recht gut sagen, was weiter passierte. Atome bildeten sich und verdichteten sich weiter. Immer komplexere Formen der Materie entstanden und die Materie sammelte sich in immer größeren, mit unter auch voneinander getrennten Orten.
Gewaltige Verdichtungskräfte begannen zu wirken, ließen Schockwellen durch die Materiewolken rasen, die damals hauptsächlich aus Wasserstoff bestanden. Die Wolken begannen zuerst langsam, dann immer schneller zu rotieren. Weitere Verdichtung kam auf, enorme Hitze wurde frei. Und irgendwann war es soweit: Der erste Materieklumpen entfachte in sich das atomare Feuer, die Energie wandelte sich erneut um – diesmal auf der materiellen, makrokosmischen Ebene. Bisher lief die Umwandlung nur im Kleinen ab – zwar „global", bzw. allumfassend, jedoch eben auf die Veränderung der atomaren Bausteine beschränkt. Nun „kochte" es quasi auch oberhalb der subatomaren Ebene, Atomkerne schmolzen zusammen zu größeren Gebilden, komplexeren. So entstanden weitere Elemente wie Helium, Sauerstoff, Eisen, Gold – im Grunde alle Elemente die ihr kennt und viele, die ihr noch NICHT kennt, wurden in diesen ersten, wahrlich gigantisch großen „Sonnen" gebildet. (Eine „kleine" Sonne hatte damals die Ausmaße wie der Durchmesser der Umlaufbahn eures 9, Planeten Pluto…)

Die Frage ist allerdings natürlich auch hier wieder: Warum? Warum bildeten sich diese Materieansammlungen, wieso blieb nicht alles diese einheitliche Masse von hauptsächlich aus Wasserstoff bestehender Materie? Für diese Antwort müssen wir wieder in die höheren Ebenen blicken. Auch hier machte die Energie eine Entwicklung durch. Und diese Entwicklung sollte unser Universum für immer verändern! Entstanden ist es durch sich selbst heraus und dem „Gedanken" der Existenz. Geformt hat es sich aus sich selbst heraus. Doch nun begann die Phase der Entwicklung. Und so aufgeteilt wie auch der Raum jetzt war, so spaltete sich auch die Energie der höchsten Ebenen. In für eure (und selbst für unsere) Begriffe „unendlich" viele Bestandteile. Dabei lief dieses Spiel in allen 6 Ebenen der „Hochdimensionen" ab – die 5. blieb nach wie vor eine art „Tor" zur unteren Welt des räumlich und zeitlich und vor allem materiell strukturierten Raumes.

Es kam sozusagen zu einer unterschiedlichen Entwicklung in diesen beiden „Welten" – die 4 Dimensionen der Materie und die 6 Dimensionen der reinen Energie, des „Geistes".

Doch die Verbindung und gegenseitige Beeinflussung war nach wie vor extrem stark – eine Trennung wie wir sie heute haben gab es noch nicht. Und auch heute gibt es keine wirkliche Trennung, sonst wäre ich ja gar nicht im Stande durch meinen „Schutzbefohlenen" zu schreiben.

Durch diese direkte Beeinflussung dieser zwei eigentlich völlig unterschiedlich strukturierten Welten kam es dazu, dass sich die aufgespaltete Energie auf die „Reise" machte. Quer durch den existierenden Raum. Überall zur gleichen Zeit, doch auch unterschiedlich lange an den einzelnen Orten verweilend. Und die Kräfte, welche dabei wirkten, zogen Materie aus den unteren, räumlichen Ebenen, zu diesen Punkten. Hier beginnt quasi das, was man bei euren Weltreligionen als das „Wirken Gottes" bezeichnet. Nur war es wieder einmal nicht EIN Gott und es war auch kein Wesen, welches über diesen Energien im Universum lag. Es waren diese „unendlich" vielen Energieteilchen selbst, welche sich zusammenfanden, das Universum „erkundeten".

Und nun kommen wir zum Knackpunkt für alles Folgende: In dieser Zeit begann das Pulsieren, die Schwingung der Energieteilchen in der 6. bis 12. Ebene sich stark zu erhöhen. Man konnte nun mit recht sagen, dass da „Gedanken" gedacht wurden.
Die Energie wurde sich über sich selbst bewusst, über den Aufbau von einfach ALLEM. Es ist nicht das, was ihr als „leben" bezeichnet. Aber es ist wohl das, was man als „Intelligenz" beschreiben kann.
Ihr würdet diese Teilchen von diesem Zeitpunkt an, der etwa mehrere Millionen Jahre nach dem linearen Beginn der „Zeit" lag, als „Seelen" bezeichnen.

Was sind jedoch „Seelen" für euch? Seht ihr darin euch selbst? Oder etwas „undefinierbares" in euch? Ich werde es euch sagen: Seelen sind Energie! „Teilchen" der ursprünglichen Gesamtenergie, welche sich damals vor fast 15 Milliarden Jahren, knapp 100 Millionen Jahre nach dem „Urknall" über sich selbst bewusst wurden.

Das „über sich selbst bewusst werden" ist IMMER ein Schöpfungsakt. Mit dem ersten bewussten „Gedanken" an die Existenz begann unser Universum, mit den Gedanken an sich selbst begannen die Seelen und später auf der Materiellen Ebene begann so jede Form des Lebens und später auch des INTELLIGENTEN Lebens.

Diese Energieteilchen, diese „Seelen" waren es, welche sich „Gedanken" machten. Zunächst nur über sich selbst, dann über alles Andere. Der Drang nach Entwicklung hielt und hält das ganze Universum zusammen. Das grundlegendste Gesetz des Kosmos wurde hier von diesen Seelen entdeckt:
Das Prinzip von Ursache und Wirkung!
Jede Aktion hat eine Reaktion, jede Reaktion erfolgt immer auf eine Aktion. Der Kosmos schuf diese Ordnung, damit alles in geregelten Bahnen ablaufen konnte. Das Gesetz ist sozusagen überlebenswichtig, denn wenn die Explosion eines Sterns nicht eine Reaktion zur Folge hätte – nämlich dass er aufhört wie bisher zu existieren – würde allgemein alles aufhören müssen zu existieren.

Ein weiteres Gesetz ist das der Polarität und des Kreislaufs. Von Anbeginn des Weltalls bildeten sich Polaritäten aus, um im Kern der beiden ein Gleichgewicht erzeugen können. Gleichgewicht kann nur entstehen, wenn zwei Gegensätzliche Kräfte sich die Waage halten. Die Seelen erkannten, dass alles, was existiert danach strebt, ausgeglichen, im Gleichgewicht zu schwingen. Darum bildete das Universum den Raum mit seinen 12 Dimensionen, welchen es ebenfalls in ein „Diesseits" und ein

„Jenseits" aufzuteilen begann – die materielle Welt und die geistige Welt.

Für einen „normalen" Menschen mag sich das phantastisch, vielleicht unglaubwürdig anhören. Aber bedenkt, dass es keinen Zufall gibt! Ihr alle seit nicht „zufällig" hier, ihr könnt es euch nur nicht vorstellen.
vielleicht fragt sich nun wieder jemand, der mir bis jetzt folgen konnte und verstanden hat, was ich sagen will, WARUM ich all dies mitteile. Doch auch jetzt ist noch nicht der Zeitpunkt gekommen, dies zu offenbaren, wir kratzen immer noch an der Oberfläche.
Um alles in seiner Ganzheit zumindest grob verstehen zu können, müssen wir uns die weitere Entwicklung ansehen.

Von diesem Zeitpunkt ab lief die Entwicklung des Universums genau wie vorher auch über Wechselwirkungen der beiden Welten innerhalb des Kosmos. Damals noch nicht so strikt getrennt, jedoch mit der Besonderheit, dass die höheren Energieebenen nun von „Intelligenz" bzw. von sehr hohen und komplexen Schwingungen erfüllt waren.

Die Seelen in der höchsten, 12. Ebene überblickten im Grunde das gesamte Spektrum allen Seins. In den niederen Ebenen des „Jenseits" waren jene Energieteile zu finden, welche für spezielle Abläufe, für spezielle Wechselwirkungen, Aktionen und Reaktionen verantwortlich waren. So hielt jeder in seinem Bereich „den Laden zusammen".
Doch die Entwicklung des Universums war ja hier noch lange nicht vorbei. Denn die Seelen erkannten, dass es im Laufe der Jahrmillionen zu immer

komplexeren Erscheinungen in den unteren 4 Ebenen kam, immer mehr Elemente entstanden. Der Zuwachs an Erfahrung, an „Wissen" war immens und die Entwicklung sollte sich nun beschleunigen.
Mittlerweile waren fast 3 Milliarden Jahre vergangen. Die ersten Galaxien wurden erschaffen, wunderschöne Formen, Ansammlungen von Millionen und Abermillionen von Sternen. Allesamt Materieumwandler. Und Planeten, auf denen geologische Prozesse ebenfalls unendlich faszinierendes hervorbrachte. Und immer wieder die immer größer werdende Leere im Raum, die immer mehr zunehmende Verdichtung der Materie. Diese Struktur konnte bald nur noch von den „Seelen" der 12. Dimension überblickt werden. Auch ich kann sie mittlerweile nur noch ansatzweise erahnen und ich kann euch sagen eure Gedanken dazu sind nicht einmal 0,1% der Wahrheit.

Für jene die nicht wissen, was ich meine: Ihr geht heute davon aus, dass sich Galaxien zu Familien zusammenschließen, diese Galaxienhaufen zu sog. „Superhaufen" und auch diese Superhaufen wiederum sich in Gruppen anordnen und „blasenähnliche" Strukturen im riesigen Raum erzeugen. Das ist alles wohl richtig, doch eure Teleskope und euer Vorstellungsvermögen lassen nicht folgende Überlegung zu:
Was, wenn eine dieser „Blasen" nur die Größe eines Sandkorns hätte, im Vergleich zu einem 100.000 Kilometer großen Strand? Ihr denkt es gäbe mehr Sterne als Sandkörner auf eurem Planeten. Ich sage nicht einmal die Aussage es gibt mehr GALAXIEN als Sandkörner auf der Erde ist korrekt.

Und zwischen all diesen Gebilden von makelloser Perfektion herrschen Wechselwirkungen.
Dies zu überblicken erfordert einen Grad der Intelligenz, der hohen Schwingung, wie sie nur wenige Seelen besitzen.

Doch sind dies dann ebenfalls keine „Götter" nur weil sie das Ganze in seiner Gänze überschauen können. Ihre „Allmacht" macht sie nicht gleich auch allmächtig, es sind normale Seelen wie auch ich eine bin.

Diese höchsten Seelen sind es aber nicht, welche uns jetzt beschäftigen sollten. Denn mit den Abläufen in dem von euch bekannten Räumen haben sie recht wenig zu tun.

Die Komplexität dessen, was gebildet wurde, die Entwicklung im Kosmos lies im Grunde nur eine einzige Schlussfolgerung für die Seelen zu: Es musste eine art „Biologie" entstehen. Allein mit der Energieumwandlung durch geologische und stellare Prozesse war das Universum nicht weiter expansionsfähig. Es würde stagnieren und Stagnation ist im Grunde genommen etwas, was nicht existiert, genauso wenig wie „Zufall".
Vielleicht denkt ihr Menschen manchmal dass bei euch etwas sich nicht mehr entwickelt. Doch das ist eine Momentbetrachtung, die nicht das ganze sieht.
Es mag sein, dass in dem Moment wo ihr die Situation analysiert es für euch „stagniert" für eine ganze Weile. Doch ohne Entwicklung ist keine Existenz möglich und darum geht es immer weiter. Es bleibt NIE alles so, wie es zu einem bestimmten Zeitpunkt ist.

Daher war es ab diesem Zeitpunkt daran, dass sich die Seelen „Gedanken" machten, wie es besser gestaltet werden könnte. Noch einmal an dieser Stelle ganz klar: „Gedanken machen" könnte man auch wissenschaftlich so ausdrücken, dass sich die Energie im Universum neue Wege suchte, sich selbst neu organisierte, um das kosmische Gleichgewicht zu halten. Dies nur für jene, die sich nicht mit dem Gedanken anfreunden können, dass Energie „denken" kann – wobei dies eigentlich ein zwingend notwendiger Schluss ist, wenn man sich die Frequenzmuster einmal genau betrachtet. Aber eure dogmenhafte Engstirnigkeit was wissenschaftliche Untersuchungen betrachtet, die darauf aus sind, alles als kalt, berechenbar und allgemein abwertend darzustellen, ist nicht mein Thema hier.

Wie gesagt, die Seelen in den höheren Ebenen begannen, sich zu überlegen, wie man die Komplexität der Entwicklungen weiter betreiben und sogar intensivieren könnte. So wurde eine Grundform des „Lebens" gebildet!

Die ersten Gehversuche waren katastrophal kann ich nur sagen!
Was dort geschaffen wurde, war bereits dem Gesetz von „Mutation und Selektion" unterworfen. Und dieses „Leben" war absolut nicht lebensfähig. Es basierte auf Elementen, die wir heute nicht wirklich als „lebensfreundlich" einstufen würden. Vor allem war es durch seine schiere Größe nicht wirklich effizient.

Es bildete sich aus den manifestierten „Gedanken" der Seelen, war logisches Ergebnis dieser Überlegungen, dieser Selbstorganisation aller Dinge.

So war es in seinen Ausmaßen ungefähr so groß wie ihr euch eine Galaxie vorstellen könnt! Ich hoffe dies ist kein Schock für euch und ich kann euch alle beruhigen, dieses „Leben" gibt es heute schon lange nicht mehr. Es hatte in etwa die Form eines großen, dunklen Materieklumpens und war nur dazu existent, um große Materiemengen aufzunehmen, umzuwandeln und wieder auszustoßen.

Der unerfreuliche Nebeneffekt dabei war, dass es durch seine Masse den Raum so stark krümmte, dass die Gesamtstruktur darunter erheblich litt. Kurz gesagt: Es war seelenlos und ineffizient und nicht wirklich „biologisch". Funktionen wie fühlen, denken etc. waren ebenfalls nicht vorhanden – denken konnten, können und werden IMMER nur Seelen können, die Energie in den unteren Ebenen ist in Materie gebunden und Materie ist nicht dafür beschaffen, so komplexe Schwingungsmuster zu erzeugen.

Durch dieses, knapp 150 Millionen Jahre lang existierende „Leben" wurden aber die wichtigsten Erkenntnisse darüber gesammelt, wie Leben NICHT zu sein hat:

1. Größer als maximal ein Sonnensystem
2. Auf keinen Fall aus zu viel geologischen Elementen bestehend
3. Nicht mehr unverwertbares produzierend als verwertbares
4. WENN unverwertbares produziert wird, muss etwas vorhanden sein, was dieses dennoch irgendwie wiederverwertet

Natürlich ist das nur ganz grob geschildert, auch heute gibt es kein Leben mehr, welches auch nur ein wenig größer wäre als euer Kontinent Australien, man lernt eben dazu. Zwar gibt es nach wie vor einige Ausnahmen das gebe ich zu aber die sollen hier nicht ins Gewicht fallen, diese sind so weit räumlich von euch getrennt, dass ihr nie mit ihnen in Kontakt kommen werdet.

Die Funktion, welche dieses „Ding" damals erfüllte, konnten wir recht schnell durch eine geologische Superlative – bzw. eine stellare Singularität ausgleichen und ersetzen:

Ihr nennt so etwas heute „Schwarze Löcher". Stellare Objekte, die Materie in ihrem Umkreis verschlingen und nicht mehr freigeben – sehr effektiv und auch lebensnotwenig, um das Gleichgewicht im Universum aufrecht zu erhalten, auch wenn ihr nicht versteht warum. Doch darüber, warum es schwarze Löcher gibt, möchte ich hier nicht näher eingehen, wir befassen uns hier ja eher mit der Entstehung des Lebens.

Es bedurfte fast weiteren 500 Millionen Jahren, bis wir endlich eine Form des Lebens hatten, die annehmbar war. Anstatt im großen Makrokosmos zu beginnen, versuchte man es jetzt im Kleinen. Dafür waren die Seelen aus der 6. Dimension verantwortlich, welche die Welt des Mikrokosmos unter sich haben. Dieses dort geborene Leben war einfach aufgebaut, effizient und deswegen durchsetzungsstark. Es wurde so konzipiert, dass es über das Trägermedium „Wasser", welches eine Verbindung zweier starker Elemente Sauerstoff und Wasserstoff ist, sich verbreiten konnte. Wasser erschien als geeignet, weil es sehr einfach entsteht, wenn ein Planet einmal eine gewisse Reifungsstufe erreicht hatte.

Daher wurde auch im Folgenden das Leben planetengebunden. Um dennoch eine Entwicklung in dieser Richtung zu betreiben, konnte man sich auf die „Materietransporter" im All verlassen – Kometen, Meteore etc. Diese verbreiten noch heute die Keime des Lebens in seiner Grundform im Universum.

Dieses widerstandsfähige, effiziente aber immer noch seelenlose Leben war die Grundform der heutigen auch bei euch vorkommenden Amöben, Bakterien etc.

Etwa zu dieser Zeit nach knapp 5 bis 6 Milliarden Jahren – genaue Zeitangaben sind hier nicht wichtig, da in den höheren Ebenen Zeit ohnehin nichtlinear verläuft, entstand auch euer Sonnensystem. Alles als Folge von Wechselwirkungen, die aus der 9. Dimension heraus überwacht wurden. Dass euer Sonnensystem einmal Leben beherbergen sollte, war damals weder zu erwarten noch irgendwie „geplant".

Denn die Entwicklung des Lebens, die Erfahrungssammlung damit und die Steigerung der Komplexität dessen, was existiert, hatte Priorität.

Nach wie vor waren die Seelen (also die Energie) aus der 7. und 8. Dimension nicht wirklich ausgelastet. Ihre bisherige Aufgabe bestand darin, geologische Prozesse in Gang zu halten auf den Planeten.

Dinge, die sich für eure Augen „von selbst" regeln, regeln sich durch das Zusammenspiel verschiedener Faktoren, welche alle ihre Ausläufer auch in für euch unsichtbaren Dimensionen haben. Und nur weil für euch unsichtbar heißt das nicht, dass sie nicht existent sind. Das sind sie sage ich euch und wie!

Doch dies war eine Aufgabe, welche hauptsächlich von den Energiewesen der 8. Dimension erledigt wurde. Jene Seelen aus der 7. Dimension fristeten ein Mitteldasein, welches nur darauf zu warten schien, in Aktion treten zu können.

Wie gesagt, sie stagnierten nicht in ihrer Entwicklung, sie wussten, dass sich alles weiter entwickeln würde. Nur mussten sie eben darauf warten.

Und mit der Erstellung des Lebens im Mikrokosmos war ihre Chance gekommen.

Der erste Versuch einer Seele, sich mit einem lebenden Organismus in irgend einer Art zu „verbinden" war nach eurer Zeitrechnung vor 9 Milliarden, 562 Millionen, 344 Tausend 618 Jahren! Also vor

9.562.344.621 Jahren (Stand 2009) entstand das erste „Bakterium" mit dem sich eine Seele verband.

Das Seelen heute nicht mehr in Bakterien inkarnieren liegt an genau den Erfahrungen, die bei diesem Erlebnis gesammelt wurden. So erkannten die Seelen sehr schnell, dass das mikrokosmische Leben in seiner Gänze recht schnell erfassbar war. Zumindest für unsere Verhältnisse. Alles in allem dauerte es nicht länger als den „lächerlichen Zeitraum" von ca. 100.000

Jahren und die Funktionsweise des biologischen Lebens war endgültig auch fest im „Jenseits" verankert und kontrollierbar.

Nun waren die Seelen der 7. Dimension endgültig damit beschäftigt, als „Experten" quasi, Leben zu stiften und die Entwicklung zu überwachen, zu kontrollieren und zu steuern.

Hier setzt das dunkelste Kapitel des Universums ein. Denn mit dem Tag, an dem Seelen auch im Makrokosmos Lebensformen ansiedelten, die auf Organismen aus dem Mikrokosmos aufsetzen, entstand auch eine gewisse Dualität in diesen Formen der Existenz.
Ich möchte nicht so weit gehen es als „gut" oder „böse" einzuteilen, aber es waren eben diese Ansätze, welche damals dazu führten, dass manche Lebensformen zerstörten und daraus neues erschufen und anderen lediglich friedliche „Umwandler" des Existierenden waren und Gefahr liefen, von den zerstörerischen Lebewesen vernichtet und ebenfalls „umgewandelt" zu werden.

Zu dieser Zeit erlebte euer Sonnensystem gerade die Katastrophe, dass ein großer Himmelskörper mit eurer jungen Erde zusammentraf. Diese befand sich zum damaligen Zeitpunkt noch auf einer völlig anderen Umlaufbahn zwischen Mars und Jupiter. Also im Grunde nach wie vor völlig ungeeignet für das Leben, wie es vom Universum mittlerweile fast perfektioniert wurde. Dieses Ereignis schleuderte euren Planeten in einem weiten Bogen um die Sonne, man hätte meinen können, sie würde ihn entweder verschlingen, oder er würde ihr kurz darauf von den eigenen Fliehkräften entrissen werden.

Die Selbstorganisation und das kosmische Gleichgewicht aber wollten dies nicht zulassen, die Erde hielt den Kräften stand und wurde langsam aber sicher auf eine neue, stabilere Bahn gebracht. Bei dieser Kollision wurde auch ein Teil der „alten Erde" herausgeschleudert und umkreiste diese fortan als „Mond" im damals noch gefährlich nahem Abstand und mit einer Umlaufzeit von nur wenigen Tagen.

Es mag für viele irritierend sein, dass die Erde früher zwischen Mars und Jupiter kreiste. Man fragt sich, warum dann zwischen Venus und Mars kein Himmelskörper existierte. Doch kann ich dieses Rätsel aufklären, wenn ihr bedenkt, was für Kräfte damals am Werk waren.

Durch die enormen Anziehungs- und Fliehkräfte wurde alles, was sich im Weg dieses schwer getroffenen Planeten befand, „zur Seite" gedrängt. So veränderten der damals recht lebensgünstig liegende Planet Mars sowie auch die Venus ihre eigentlichen Bahnen „ein wenig", um Platz für den gestrandeten Himmelskörper zu machen, sie wurden verschoben von den gewaltigen Kräften. Dies bedeutete das Ende für Leben auf diesen beiden Planeten – wobei dort damals noch nicht wirklich etwas existierte. Die Oberflächen aller Himmelskörper war noch nicht einmal ganz erkaltet.

Während also das Sonnensystem vor gut 5 Milliarden Jahren noch in den Nachwehen der Geburt lag, begann man andernorts damit, sich Gedanken zu machen, wie jetzt, fast 10 Milliarden Jahre nach der

Entstehung des Alls, das Leben noch weiter perfektioniert werden könnte.

Auf diesem „Leben" baute in vielen Bereichen bald schon die ganze Entwicklung auf, es war also nur eine Frage der Zeit, bis auch „Intelligenz" Einzug halten sollte in das Leben.

Bisher wurde es dabei so gehandhabt, dass eine Seele mit all ihrer Energie und ihrem kompletten Schwingungspotential (allen Gedanken, allen „Erinnerungen" – kurz aller Intelligenz) dem Leben die Lebensenergie gab.

Doch das tragische daran war, dass sich nun wirklich unheimlich intelligente „Wesen" im Universum begannen zu tummeln, die ALLES über einfach ALLES wussten – oder zumindest soviel, wie wir auf der 7. Ebene eben überschauen können vom Ganzen.

Viele Esoteriker auf eurem Planeten meinen hierbei, dies sei die Situation in der wir die Menschen irgendwann sehen wollen, bzw. dies sei das „Gleichgewicht" nachdem das Leben strebt.

Doch diese Erfahrung mussten wir machen: Es war die kürzeste und fatalste Fehlentscheidung die das Universum je gesehen hatte. Das Prinzip von „Versuch und Irrtum", bzw. „Mutation und Selektion" galt auch hier weiterhin. Ebenso die sich bildende Polarität zwischen den Lebensarten. Und obwohl Energieteilchen bzw. Seelen nur eben aus Energie bestehen, lernten sie hier, dass man auch Gefühle, Emotionen etc. verspüren kann. Diese Emotionen und Gefühle blieben zwar nach der Rückkehr in die 7. Ebene nicht wirklich erhalten, doch bei einer erneuten Inkarnation waren sie wieder voll da.

Dieses Problem haben wir selbst heute, 5 Milliarden Jahre später, nicht auslöschen können. Daher lasst mich hier einen kleinen Einschub bringen, einen Vorgriff auf unsere später folgende Erörterung eures Lebens hier auf diesem Planeten.

Emotionen und Gefühle – ohne sie ist das Leben nicht das, was es eben ist. Sie begünstigen erst die Entwicklung.

Und wenn ihr in einem eurer Leben besonders tiefe Emotionen oder Erlebnisse hattet, so prägen die euren „Seelencharakter" dergestalt, dass ihr euch in einem eventuellen Folgeleben entweder dorthin zurücksehnt, woher ihr kommt oder sogar Teile dieses alten Charakters neu in euch verinnerlicht.

Dies sehen wir im Übrigen eher als lästiges Übel denn als Vorteil für die Entwicklung an, auch wenn wir immerzu versucht sind, aus dieser Situation das Beste zu machen.

Doch egal wie viel gute Vorsätze sich wir oder die Inkarnanten auch geben, bei euch kommen allzu viele vom Weg ab. Was das für Auswüchse treiben kann, dazu aber später, lasst uns nun mit der Entstehungsgeschichte fortfahren.

Wir alle durchlebten Emotionen in dieser Zeit der ersten vollständigen Inkarnationen unserer selbst in der 4 Dimensionalen Materiewelt. Und zwar alle Emotionen, die man sich nur vorstellen kann. Dabei hat sich eine ganz besonders hervorgetan, quasi DIE Emotion schlechthin.

Man kann sagen, das Gefühl der „Liebe", der richtigen Liebe, kommt dem kosmischen Gleichgewicht, dem Streben nach Vollendung von Allem was ist, am nächsten. Ich weiß nicht ob ihr diese einfache aber bedeutungsreiche Aussage verstehen könnt, ich sehe gerade ich erkläre gerne Dinge in nur einem Satz und gehe meist irrtümlich davon aus, ihr hättet dann alle verstanden.

Was ich begreiflich machen möchte ist, dass die „Liebe" das reinste Gefühl ist und jenes, welches am stärksten auf die Materie und den Geist einwirkt. Würde man versuchen, die geistige Welt mit emotionalen Begriffen zu beschreiben könnte man sagen, sie ist erfüllt mit „Liebe". Jedoch klingt das für mich persönlich viel zu überzogen. Es ist wahrlich nicht so, dass sich in der geistigen Welt alles „lieb hat". Aber das Gefühl der Ausgeglichenheit, der Vollendung – man kann es nicht anders beschreiben als eben so, dass sich alles was ist, nach innerer Ruhe, nach Gleichgewicht und nach Vollendung sehnt. Und jene Gefühle, die man bei wahrer Liebe empfindet kann man mit diesem inneren Streben im Grunde gleichsetzen.

Nun fragen sich vielleicht einige: Wenn Liebe das ist, wonach alles strebt, die Ausgeglichenheit, die Mitte der Waagschalen – was ist dann „Hass"?
Dies ist eine wirklich wichtige Frage! Denn Hass ist nicht etwa eine der Waagschalen, es ist nicht mal ein Teil der Waage! Hass ist das, was entsteht, wenn keine Liebe existiert. Wenn man sie nicht fühlt, ihr abschwört, sie aus seinem Leben verbannt.

In der geistigen Welt gibt es keinen „hass". Es kann durchaus vorkommen, dass man vielleicht nicht unbedingt sich zu allen Seelen hingezogen fühlt, ja einige meiden einander sogar – aber man akzeptiert und respektiert, man hat eine Achtung vor allem, was ist. So wie ein Zebra den Löwen nicht „hasst" nur weil er es jagt.

Der erste „hass" – also die Abwesenheit von Liebe, von Streben nach Ausgeglichenheit und von Gleichgewicht, kam in der damaligen Zeit auf.

Wir alle waren inkarniert in fast „gott-ähnliche" Wesen – stellt sie euch als etwa 5 Meter große Menschen vor, ohne Haare, mit schwarzen Augen die nur aus einer Pupille bestanden, statt einer Nase hatten wir nur eine Öffnung zum Luft einatmen (die Wesen, welche wir für uns als Träger auswählten atmeten damals reinen Stickstoff) und Händen mit einmal 6 und einmal 3 „Fingern".

Im Grunde ist es auch nicht wichtig, WIE damals unsere Körper ausgesehen haben. Wichtig waren unsere Taten.

Die meisten von uns studierten einfach nur das Leben an sich, genossen die linear ablaufende Zeit, machten ihre Entdeckungen.

Doch es begann damals damit, dass sich einige inkarnierte Seelen danach sehnten, mit dem Wissen, dass sie hatten, auch hier in dieser Welt Einfluss auszuüben. Sie wollten „herrschen". Und den Anspruch den sie erhoben war um einiges höher als jene, die eure Herrscher heute stellen. Ihnen ging es um alles, sie wollten sich mit den Seelen aus der 12 Ebene anlegen und dachten, ihnen jetzt überlegen zu sein.

Dabei legten sie jedes Gefühl von Liebe ab, strebten nicht mehr nach Entwicklung, nach Erfahrung oder innerer Ausgeglichenheit. Sie strebten nur noch nach

Kontrolle, nach Wissen – dem Wissen um die Macht, der absoluten Macht.

Die Seelen der damaligen Zeit, welche nicht die Liebe ins ich spüren wollten sondern ihr abschworen, schworen damit auch dem kosmischen Prinzip ab. Als Energiewesen, als Seelen, waren sie nun de fakto nicht mehr im Stande, zwischen uns in der 7. Ebene zu existieren.

Wie wir es schafften, diesen Seelen die Grundlage zu entziehen, ihnen die materielle Hülle zu nehmen und sie zurück in die geistige Welt zu reißen, ist kein schönes Thema und auch keines, über das ich euch berichten möchte. Wichtig ist lediglich, dass wir es schafften, alle wieder aus den 4 Dimensionen zu verbannen, welche dem kosmischen Prinzip zuwider liefen. Doch was dann geschah war prägend für alle Zeiten die danach kommen sollten. Denn ihre Seelen waren „schwarz". So lässt es sich vielleicht bildlich am besten ausdrücken. Sie waren nicht mehr im Stande mit uns zusammen zu leben. Nicht das wir sie nicht gelassen hätten oder ihnen keine Chance geben wollten. Es war einfach nur nicht mehr möglich, ihr Schwingungsfeld, ihre Frequenz war so völlig anders als alle sonstige Energie im Universum.

Das macht auch Sinn wenn ihr euch vorstellt, dass es bisher im All lediglich die Energie gab, welche nach Ausgeglichenheit, nach Liebe strebt. Und nun sind da diese Seelen, die sich völlig anders entwickelt hatten.

So erzwangen diese vom Weg für immer abgekommenen, verlorenen Seelen einen neuen, letzten Schöpfungsakt, welcher das Universum noch um eine letzte Dimension ergänzen sollte.

Sie bildeten einen eigenen Raum, eine allerletzte Ebene, auf die ihr in eurer Wissenschaft auch bald stoßen werdet. Es ist dies die „13. Dimension".
Diese liegt zwischen dem allumfassenden der 1. Dimension und der absoluten
„0. Dimension" – also jenem Zustand des „nichts" den ich anfangs beschrieb.

Eure Theologen bezeichnen diesen Ort als „Hölle" doch so etwas gibt es nicht! Und es kommt auch nicht jede Seele dorthin, welche zu Lebzeiten in eurer Sprache „Bockmist gebaut" hat.
Jede Seele entscheidet FREI, aufgrund ihrer Eigenschwingung, ihrer Gedanken, wohin sie sich begibt. Jeder ist für seine Taten selbst verantwortlich und muss die Konsequenzen auf sich nehmen.

Ihr denkt vielleicht dass ein psychopatischer Massenmörder automatisch nach seinem irdischen Leben in diese „13. Dimension" gehen muss. Doch dorthin „muss" niemand!
Warum dies so ist, werden wir uns ein wenig später betrachten. Für den Moment sollte genügen, dass Wesen, die einmal dort sind, sehr schwer wieder aussteigen können. Sie leben fortan von jenen Schwingungen, die damals entstanden, als die ersten Seelen in ihren Inkarnationen vergaßen, wer sie eigentlich waren und den kosmischen Gesetzen abschworen.

Wir ziehen in unser Leben, was wir gerade fühlen. Wenn wir hasserfüllt denken, sehen wir die Welt in dunklen Tönen, alles ist dann für uns „negativ" alles ist „schlecht". Und von diesen Emotionen und Gefühlen wird die 13. Dimension gespeist und am Leben erhalten. Es gibt sie nur, weil es diese negativen Gedanken gibt, da sie zwingend erforderlich ist. Mit der Schaffung der Liebe musste auch der Hass geschaffen werden. Und da Liebe im ganzen All das bildet, was man als „kosmische Ausgeglichenheit" bezeichnen kann, musste auch ein Bereich existieren, der dafür das Gegengewicht bildete.

Also nur eine logische Entwicklung, eine erneute Selbstorganisation des Raumes.

Nun wisst ihr also auch, dass eure „Hölle" nicht das ist, was ihr denkt und dass sie nicht von Anfang an da war, sondern durch unsere Fehler beim Streben nach Entwicklung und Erfahrungssammeln selbst erschaffen wurde.

Doch aus Fehlern lernt man und manchmal kann man Fehler sogar wieder gut machen. Dies war auch seit diesem Zeitpunkt unser oberstes Ziel: Irgendwie das Leben in eine Form bringen, in der es den gleichen effizienten Nutzen hat, wie jetzt, nur mit der nötigen Intelligenz der höheren Ebenen versorgt und dabei OHNE zu vergessen, woher es kommt und was es ist.

Dafür mussten wir uns einige „Spielregeln" einfallen lassen, welche allesamt mit den bisherigen gefundenen und gebildeten Gesetzmäßigkeiten in Einklang stand.
Wir verzichteten ab dem Zeitpunkt darauf, mit all unseren Gedanken, Erinnerungen etc. zu inkarnieren. Das Wissen das damit nämlich in die unteren Ebenen Einzug halten würde, ohne jede Schutzfunktion, würde

sofort wieder Wesen hervorbringen, die sich dem absoluten Hass verschreiben würden.

Quasi teilten wir uns auf in eine übergeordnete Seele, welche fest mit dem materiellen Körper verbunden wurde und dem ‚was der Körper von sich selbst erfährt. So ist das, was man als „Seele des Menschen" bezeichnet nie seine komplette Seele. Der Mensch ist von seiner Seele erfüllt, doch nur teilweise. Es schwingen darin auch noch andere Aspekte von früheren Inkarnationen mit aber vor allem ist das, was er zu einer Inkarnation ist, nur EIN spezieller Aspekt seiner Seele. Um es etwas spaßig auszudrücken: Eine Seele ist quasi „schizophren" und teilt sich in so viele „Seelenaspekte" auf, wie sie jemals inkarniert ist.

Dies hat zudem den positiven Nebeneffekt, dass das Leben eine beschleunigte, eigene Entwicklung durchmachen kann, im Streben danach, ebenfalls effizienter zu werden.

Und je effizienter das Leben wurde, umso intelligenter wurde es auch.

Schließlich erreichte die erste Hochkultur des Universums aus völlig eigenen Stücken das Wissen um uns und die Zusammenhänge im Weltall - zumindest in den wichtigsten Punkten.

Wir hatten festgelegt, dass die Erinnerungen einer Seele bei einer Inkarnation sozusagen „gelöscht" werden sollten.

Natürlich waren sie nach wie vor existent, aber das, was sich als Lebewesen selbst wahrnehmen konnte, hatte keinen direkten Zugriff mehr auf die gesamte Seele, nur noch auf den jeweiligen Seelenaspekt des Körpers. Stellt euch einen Kuchen vor, der in verschiedene Teile geteilt wird. Und der einzelne Mensch kann immer nur SEIN Stück auf dem Teller begutachten und ergründen, eventuell auch andere Stücke – aber der gesamte Kuchen in seiner Gänze bleibt für ihn verborgen.

Doch bereits bei dieser ersten Hochkultur, die aus eigener Entwicklung entstand, sahen wir schockiert was passierte (die Möglichkeit, über etwas „Schock" oder „Erregung" zu empfinden, hatten wir seit den Erfahrungen unserer ersten kompletten Inkarnationen auch in der geistigen Welt behalten):
Trotz des immer noch existierenden Schutzes, den wir einrichteten, der endgültigen Trennung zwischen „Diesseits" und „Jenseits" vor knapp 4,5 Milliarden Jahren, entbrannte wieder das ewige Hin- und Her zwischen „Liebe und Hass".

Vergleicht jedoch niemals das, was ihr heute als „Liebe" und „Hass" kennt mit dem, was WIR damals erfahren hatten.

Etwa zu der Zeit wurde unter vielen Anderen auch die Erde als Lebensträger erkannt und die nötigen Vorraussetzungen geschaffen, ihr in der eigenen Entwicklung mit Leben weiterzuhelfen. Auch auf dem Mars und der Venus wagte man diesbezüglich erste Versuche, die aber bald wieder verworfen wurden, da die Planeten einfach zu weit vom alten Kurs abgedriftet waren.

Wir hatten mittlerweile eine Lösung für das Problem gefunden, wie wir zumindest in etwa das „intelligente Leben" kontrollieren konnten. Mit der Kontrolle von normalem Leben war es ja noch einfach. Aber wie sollte man das intelligente Leben so überwachen, dass es sich so wenig wie möglich der negativen Ebene verschreibt? Wir gingen dafür dazu über, ab einem gewissen Entwicklungsgrad der Lebewesen ihnen einen „Begleiter" mitzuschicken. Dieser sollte die Instinkte, die wir dem Leben wie ein fest einprogrammiertes Softwarestück mitgaben, ergänzen. Denn Instinkte sind nur gut um das Leben dann zu kontrollieren, wenn die darin inkarnierten Seelen auch wirklich keine Ahnung haben, wer sie sind oder warum sie hier sind und sich darüber auch keine Gedanken machen.

Nochmals zum Verständnis: In mikrokosmischem Leben sind KEINE Seelen inkarniert. Im makrokosmischen Leben (bei euch „tierisch" und in Ansätzen manchmal auch „pflanzlich") sind Seelen enthalten aus unserer 7. Dimension, jedoch haben diese jeden Zugang zu unserem Wissen verloren – damit sie sich ganz auf die Erfahrungssammlung und die Entwicklung konzentrieren können. Natürlich entwickeln sie sich dabei auch selbst weiter und sobald die Komplexität ihrer Gedanken einen gewissen Punkt erreicht, reicht das feste Programm ihrer Instinkte eben einfach nicht mehr aus, um sie kontrollieren zu können.

So wurden die „Seelenbegleiter" oder die „Mitseelen" geschaffen. Dieses sind nichts weiteres als ebenfalls Energiewesen aus der 7. Ebene, welche allerdings NICHT inkarniert sind und welche sich dem inkarnieren Wesen anschließen, es immer begleiten.

Ihr nennt so etwas manchmal bei euch die „innere Stimme" oder das „Gewissen".
Ich bin ebenfalls eine solche Mitseele. Mein mir anvertrauter „Schützling" ist in der Lage, mich zu verstehen und daher alles, was ich ihm sage, auch zu Papier zu bringen. So entsteht gerade diese Dokumentation.

Nun, was aber ist jetzt unsere Funktion? Wir sind dazu da, den Schützling zu versuchen, auf dem „richtigen Weg" zu halten. Kein Leben, in welches eine Seele geht ist „sinnlos". Denn nach den kosmischen Gesetzen handelt alles nach Ursache und Wirkung.
Daher legt sich eine Seele quasi einen „Plan" zurecht, warum sie inkarniert. Wenn man abseits dieses Plans gerät – was mit zunehmender geistiger Entwicklung der Inkarnanten sehr leicht passieren kann – treten WIR auf den Plan. Wir stehen nicht nur in Kontakt unter uns Mitseelen und unseres Zöglings sondern auch zu anderen Seelen aus der 7. und auch der 8. Ebene, welche ja ebenfalls am Zusammenspiel des Lebens und dessen Entwicklung beteiligt sind. Aus der 8. Ebene kam auch der Auftrag, ich solle nun meinem Schützling all dies diktieren, denn diese Texte seien jetzt und auch in Zukunft sehr wichtig für alle, die sie lesen.

Man kann niemand zwingen sie zu lesen oder sie zu glauben, jedoch wenn sie nie erstellt werden, verweigert man den Menschen die Chance, Dinge zu erfahren, die für sie überlebenswichtig sein könnten.

Mit der Einführung der Mitseelen war der Grundstock für eine zyklisch ablaufende Entwicklung gegeben. Ihr wisst ja: Alles ist polar und zyklisch, im Kreislauf.
Seit diesem Zeitpunkt verläuft das intelligente Leben im Universum nach diesem Schema.
Auch auf der Erde bildete sich allmählich Leben aus, so dass aus der 8. Ebene der Gedanke kam, die Erde ebenfalls freizugeben für die Inkarnation von Seelen aus der 7. Ebene.
Dies war vor etwas weniger als einer Milliarde Jahre. Seitdem hat sich nach eurem Verständnis nicht mehr viel an unseren Gesetzen geändert. Jedoch nach unseren Maßstäben stagnieren wir nicht etwa, nein in den letzten 4 Milliarden Jahren haben wir im ganzen Universum so viele Erfahrungen mit intelligentem Leben gemacht und wie es sich mit Hilfe des Konzepts der Mitseelen entwickelt, dass wir sicher waren, bald eine Möglichkeit zu finden, die 13. Dimension wieder auflösen zu können.

Die Entwicklung von Leben explodierte förmlich – sowohl auf der Erde mit „normalen" Leben als auch von intelligentem Leben an anderen Orten.
Auf der Erde kamen dann allmählich in eurer Urzeit Wesen auf, welche überwiegend dem zerstörerischen Teil der Tiere angehörten. Sie waren durchaus effizient für den Planeten, jedoch hätte sich aus ihnen nie eine wirklich ernstzunehmende Intelligenz herausbilden können.
So wurde auf der höchsten Ebene, die für Leben im Universum noch zuständig ist, der 9. Dimension, wo man sich normalerweise wie schon erwähnt hauptsächlich um Planetare, geologische Wechselwirkungen und stellare Ereignisse kümmert,

entschieden – der Planet Erde sollte einen Großteil seines Lebens verlieren!
Solche Entscheidungen werden täglich überall und zu Hauf getroffen. Natürlich nicht auf der Erde. Da geschah es nur wenige Male bisher aber immer mit sehr gewaltigem Ergebnis.

Die Umsetzung dessen war äußerst kreativ wie ich finde, die Erde hat sich gut davon erholt und die Bühne war frei für die Säugetiere, denen auch von uns erheblich bessere Chancen zugestanden wurden.

Vor etwa einer Millionen Jahre dann war allgemein die Situation aufgetreten, dass besonders in der Milchstraße, eurer Heimatgalaxie, das Leben überhand zu nehmen drohte.
Dies bedeutet, wir hatten so viele intelligente Lebewesen unterschiedlichster Entwicklungsstadien, dass wir auf einigen Planeten das Leben ganz erlöschen lassen mussten, um die Energie für „bessere" Hochkulturen zu spenden. Dies war natürlich ebenfalls ein Fehler von uns, das geben wir zu…

An dieser Stelle wäre vielleicht ein Einschub hilfreich, was mit Seelen passiert, die inkarnieren und dann trotz Mitseele vom rechten Weg abkommen. Ich habe ja schon einmal das Beispiel des psychotischen Massenmörders erwähnt. Nach solch einem Leben trifft dieser mit seiner Mitseele zusammen. Ebenfalls erhält er alle Erinnerungen aus seinen Vorleben wieder zurück, er kehrt quasi wieder zurück zu seiner Seele, er „sieht den Kuchen" und nicht nur sein eigenes oder ein, zwei weitere Stücke. Es ist dann in den meisten Fällen so, dass solche Leute entweder sofort oder nach einer gewissen „Zeit" (welche ja in der geistigen Welt relativ ist) erkennen, dass ihr Leben falsch verlief und sie sich überlegen, welche Reaktionen darauf am besten das Gleichgewicht in ihnen selbst und allgemein wiederherstellen könnten.

Tun sie das hingegen nicht, so können sie auch nicht wahrnehmen, dass sie im Grunde genommen schlecht gehandelt haben. Manche akzeptieren so zum Beispiel nicht, dass sie gestorben sind, die wollen das nicht wahrhaben. Wieder andere sehen sich im Recht, wollen auch nach ihrem Tot weitermachen wie bisher. Diese können aufgrund dessen, dass sich durch diese Inkarnation ihr ganzer Seelenaspekt verändert hat, nicht mehr zurück und ihre Existenz wechselt auf die 13. Ebene, sie werden quasi „ausgelagert".

Vielleicht wichtig dabei ist, dass sie damit nicht „weg" sind vom Universum. Die 13. Ebene ist zwar die Unterste und unterhalb der 1. Dimension angesiedelt, doch sie befindet sich im selben Raum wie alle 12 anderen Dimensionen auch!
Was das auch für euch im alltäglichen Leben bedeuten kann, dazu später mehr.

In der Geschichte des Universums und eures Planeten ist es nun mittlerweile soweit gekommen, dass ihr Menschen als die geeignete Form für „intelligentes Leben" ausgewählt wurdet. Durch die Gesetze von Mutation und Selektion und der Selbstorganisation des Kosmos trafen wir die Entscheidung und euch wurde so Intelligenz begünstigt und zuteil.

Eure ersten Hochkulturen erblühten und vergingen wieder, Kulturen die ihr heute schon vergessen habt. Auch andere kamen, doch auch diese konnten sich nicht behaupten. Vor etwa 6000 Jahren dann gelangte das, was heute der „Homo Sapiens" ist, zu seiner Blühte und dessen Hochkulturen bestanden. Geistig entwickelte er sich recht schnell zu einem der intelligentesten Lebensformen in diesem Arm der Milchstraße.
Und aufgrund verschiedener Gesetzmäßigkeiten in den unteren 4 Ebenen, durchläuft dieser Arm gerade einen Entwicklungszyklus.
Diese Entwicklung, gesteuert von der 10. Ebene aus, betrifft alles, was existiert, also alle untergeordneten Ebenen bis zur ersten Ebene hinab.
In Esoterikkreisen ist diese Zeit als die Zeit der „Schwingungserhöhung" bekannt.
Dies trifft es im Grunde ganz gut. Wenn diese Phase zu Ende sein wird, kann sich auf diesem Planeten nur noch die Form des intelligenten Lebens halten, welche der schnelleren Frequenz entsprechend angepasst ist.

Wir schicken schon jetzt Seelen mit derartigen Frequenzmustern auf euren Planeten, auch mein Zögling ist einer von diesen. Doch jene, welche schon da sind und noch nieder schwingen, haben nicht mehr viel Zeit.
Derartiges geschieht nicht allzu oft aber wir haben damit schon eine gewisse Routine. Es wurde in den letzten Jahrmillionen eben einfach so gut wie perfektioniert.
Gleichwohl stellt euer Planet etwas Besonderes dar, denn er wurde aufgrund besonderer Umstände, die fast sogar über meinen Begriffhorizont hinausreichen,

ausgewählt, um von hier aus eine völlig neue Ebene zu erreichen.

Eine Schwingungsebene, in der es nur noch überwiegend grundlegende Emotionen und Gefühle gibt, allesamt mit höchster Intensität erlebt und ausgelebt.

Es ist eine Möglichkeit, wie jene 13. Dimension bald überflüssig werden wird.

Mittlerweile kann ich auch beruhigt verkünden, dass fast nur uralte Seelen aus der vorhin beschriebenen Frühzeit, als diese 13. Ebene entstand, sich noch dort befinden.

Uralte Seelen sind wir zwar alle – wie ihr wisst kann Energie nicht erzeugt oder vernichtet werden, also auch keine Seele. Jede Seele ist gleich alt, nämlich knapp 15 Milliarden Jahre.

Aber diese Seelen sind seit 5 Milliarden Jahren fast nicht mehr inkarniert, also fast länger, wie euer Sonnensystem bereits existiert!

Ihr erahnt die Dimension um die es hier geht!

An dieser Stelle will ich euch auch offenbaren, dass selbst Menschen wie euer „Hitler" oder Stalin, wie Tyrannen und Despoten NICHT in die „Hölle" kamen!

Sie alle gingen nach ihrem Tot mit ihrer Mitseele ihr Leben durch. Sie sahen, was sie taten und sie erhielten ihre ganzen Erinnerungen aus ihren Vorleben zurück, verglichen ihre Taten mit dem, was sie sich für ihr Leben vorgenommen hatten.

Es ist so, dass wirklich die meisten erkennen, dass ihr Leben einfach nicht so verlief, wie sie es sich geplant hatten. Und dann inkarnieren sie erneut, wollen vielleicht Reaktionen erfahren auf das, was sie an Aktionen in ihrem Vorleben begangen haben. So erreichen sie innere Ausgeglichenheit.

All das bedeutet, dass eure „schlimmsten" Personen die ihr je auf Erden hattet, womöglich bereits wieder unter euch wandeln – zumindest eben ihre jetzige Inkarnation der Seele, die auch diesen damaligen „Monstern" ihre Lebensenergie gab. Ihr seht, es gibt keine „Hölle" nicht einmal für solche Menschen. Denn auch sie waren nach wie vor in gewissen Punkten und zu gewissen Teilen zur Liebe fähig. So lang ein Seelenaspekt oder eine Seele fähig ist, die Liebe zu empfinden, solange gibt es für sie auch eine Möglichkeit, im kosmischen Spiel weiter teilzunehmen.

Soweit möchte ich es nun mit der Geschichte des Universums und der Entstehung von uns Seelen und dem Leben, bzw. intelligentem Leben bewendet lassen.
Nun habt ihr einen groben, recht einfachen Eindruck dessen, wie alles begann.
Aber viel mehr benötigt ihr in eurem Leben auch nicht.

Wisst ihr, ich möchte euch da aufnehmen, wo ihr steht. Viele Seelen haben schon durch Medien zu euch gesprochen. Aber sie alle faselten Dinge die wie Esoterisch/Mystische Phantasien klangen. Dinge von „Lichtwelt", „Erzengeln" und dergleichen mehr. Lasst mich das ganz klar sagen: Es ist weitaus einfacher und leichter zu verstehen als diese Seelen es ihren Medien beschrieben.

Doch wir können nur so uns mitteilen, wie auch unsere Medien innerlich strukturiert sind. Und ein Mensch, der an all diesen Schund (und es ist Schund tut mir leid und das sage ich als nicht-inkarniertes, geistiges Wesen!) glaubt, der wird auch nur das zu hören bekommen in der Sprache wie er denkt, dass sich Seelen ihm mitteilen müssten.

Ihr wundert euch vielleicht warum ich als Mitseele, als „höheres Wesen" der ich durch meinen mir anvertrauten Inkarnanten zu euch spreche, derart Gefühle zeigen kann, welche sich mit unter sogar ein wenig abwertend gegen „Esoteriker" richtet.
Ich bin wirklich belustigt, das muss ich sagen! Wie ich ja schon beschrieben habe sind wir seit unseren ersten Tagen als voll-inkarnierte Wesen in der Lage, Gefühle zu empfinden. Und wie gesagt – in der geistigen Welt haben wir uns sicher nicht alle „ganz arg lieb". Ich finde es ehrlich gesagt regelrecht nervig, wie manche weihrauchgeschwängerten und in tibetanische Gebetsteppiche gehüllten Sandalenträger, meistens gealterte, erfolglose Spät-Hippies, mit mystischem Gerede von unserer geistigen Welt erzählen. Ja, auch nicht inkarnierte Seelen, auch geistige Wesen können sich über etwas „aufregen". Denn natürlich streben wir ewiglich zur komischen Ausgeglichenheit, zur Liebe. Aber wenn eben eine Situation einfach auf gut deutsch „scheiße" ist, dann kann man sich auch darüber beschweren, dass es dann Leute gibt, welche sich aufgrund dessen mit Pflanzenextrakten oder anderen Mitteln „zukiffen" und von „Luft und Liebe" leben wollen. So etwas nenne ich weltfremd! Und ich würde mich schämen, müsste ich Mitseele eines solchen Menschen sein.

Wenn sich einige jetzt angesprochen fühlen kann ich nur sagen: Ihr seit auf dem FALSCHEN Weg! Ihr habt ja verstanden, worum es geht, das bestreitet niemand! Ihr habt bereits ein sehr hohes Wissen! Aber manche von euch gehen einfach ZU WEIT!

Esoteriker verlieren meist die Bodenständigkeit, verlieren sich in Traumwelten.
Wir in der geistigen Welt haben uns lange gedacht, vielleicht werden sie ja auch wieder „normal" mit der Zeit, vielleicht ist das ja nur eine Phase in eurem Aufwachprozess.
Doch diese Phase ist bald vorbei! Die Schwingungserhöhung findet bereits jetzt statt und die Erde beginnt gnadenlos damit, zu „säubern". Schaut euch um in der Welt! Wer sich nicht anpassen kann, wird weggefegt, wird zurückgeholt in die geistige Welt, weil er sich hier nicht mehr halten kann!

Das ist auch der Grund, warum an mich der Auftrag ging, meinen Schützling mit all diesen Themen in Kontakt kommen zu lassen, ihm jetzt direkt meine Worte in den Geist zu senden, die er völlig unkommentiert direkt so niederschreibt, wie ich sie ihm eingebe.
Früher reichte es aus, wenn ihr durch uns unterbewusste Hilfe bekamt. Da waren wir einfach euer „Gewissen" welches euch leise „zuflüsterte" wenn ihr gerade mal wieder irgend eine Dummheit im begriff wart zu tun.
Wenn ihr dennoch vom Weg abgekommen seid, musstet ihr eben ein weiteres Mal inkarnieren, ein weiteres Leben durchlaufen, indem ihr euer Glück erneut versuchen konntet. Wisst ihr alles besteht aus

Aktion und Reaktion. Und euer Leben ist ein Kreislauf. Auf Leben folgt Tot (sprich das Leben in der geistigen Welt) und darauf wieder neues Leben. So wie auf den Tag die Nacht und darauf wieder der Tag folgt.

Im Zuge der Schwingungserhöhung kommen viele Menschen auf diesen Planeten, viele Seelen, welche teilhaben wollen an diesem Schauspiel.

Manche wollen nur kurz bleiben, die ersten sind bereits wieder gegangen. Aber es gibt da auch die große Masse, die etwas bewegen wollte, die mit Zielen und Plänen und unheimlichen Vorwissen ausgestattet hier ankam.

Ihre Aufgabe war es, die „Bühne Erde" vorzubereiten für das bevorstehende.

Wir haben uns da auf euch verlassen, weil wir davon ausgingen, wenn ein Mensch sich an seine Vorleben erinnern kann, wir ihm diese Erinnerungen entgegen unserer sonstigen Vorgehensweise doch zugänglich machen, dass er sie dann weise nutzt. Dass er das WISSEN das wir ihm geben weise nutzen wird.

In einem Punkt hatten wir recht: Niemand hat bisher versucht, das ihm von uns gegebene Wissen negativ zum eigenen Vorteil zu missbrauchen. Wohl auch deshalb, weil wir ihm dann den Zugang dazu verwehrt haben.

Doch wir haben uns (wieder einmal) getäuscht. Getäuscht darin, dass ihr wissen würdet, was zu tun sei. Dass ihr von selbst die Erfahrung machen würdet.

Im Grunde wäre all dies lange nicht so katastrophal, wenn es diesmal nicht um so VIEL gehen würde. Es ist nicht einfach nur ein weiterer Zyklus den die Menschheit hier durchläuft.

Diesmal geht es um weit mehr als nur um euch oder eure eigene geistige Entwicklung! Ein altes Weltbild wird zusammenbrechen und ein neues entstehen – oder alles für ewig untergehen!

Das wäre für uns Seelen nicht schlimm, ihr wärt alle nach wie vor da. Nur nicht mehr auf dieser Erde, die würde für euch keinen Platz mehr bieten.
Und damit wäre auch für das Universum eine große Chance vertan, sich selbst wieder ins Gleichgewicht zu bringen.

Überall in der Galaxis gibt es Leben – Leben das mit unter höher entwickelt ist als ihr. Vielleicht fragt ihr euch, warum es dann unser Wille ist, dass ihr aufwacht, auf eine höhere Stufe kommt und warum so viel davon abhängt.
Die Antwort ist einfach: Ihr seit nicht einfach „irgendwer". Eure Seelen sind nicht irgendwelche. Jene, die jetzt hier ankommen, kommen mit dem festen Willen, den Entwicklungssprung, das Ende der alten Zeit und den Beginn der neuen „live mitzuerleben".
Ich rede in eurer Sprache und mit euren Worten, damit ihr mich verstehen könnt. Mein Schützling wurde als Medium ausgewählt weil er in seinen Vorleben schon viel durchmachen musste und weil er vor allem bodenständig geblieben ist.
So kann durch ihn meine Botschaft weit direkter und unmittelbarer zu euch gelangen als bei anderen. Denn unsere Kommunikation läuft direkt in „Echtzeit" ab.

Aber was ist euer Problem derzeit? Ich werde es euch sagen! Es gibt derzeit einige besondere Menschen, die unglaubliche Fähigkeiten besitzen – im Grunde besitzt ihr die ja alle. Aber diesen Menschen wurde das Wissen, wie man sie nutzt, bereits von uns mitgegeben. Aber anstatt sie sinnvoll zu nutzen, kamen sie in eurer Welt, die andere ausgrenzt und zerstört, nicht damit zurecht. Sie kamen vom Weg ab, verfielen Drogen oder begannen Selbstmord!

Selbstmord…Mord…
Ihr begeht immer wieder die selben einfältigen Fehler! Denkt ihr, eure Seele wusste nicht, was euch im Leben hier erwarten würde als sie euch mit einem Aspekt von ihr Leben einhauchte? Denkt ihr, ihr hattet euch keinen Plan zurechtgelegt?
Manchmal nimmt man sich zu viel vor das mag sein. Aber manchmal muss man auch um etwas KÄMPFEN, was man haben möchte! Selbstmord ist vor den Problemen davonlaufen.
Begehen Tiere wissentlich Selbstmord? Oder kaltblütigen „Mord" aus niederen Beweggründen? Kein Leben außer dem angeblich „intelligenten" mordet oder tötet sich gar selbst.
Ihr rennt vor euren Problemen davon. Oder ihr denkt „Mord" sei eine Lösung. Ihr wollt die „Monster" auf eurem Planeten, die Mörder und Totschläger ebenfalls tot sehen. Und so werdet ihr von klein an auf „hass" konditioniert.
Ich kann nur sagen, seit froh dass ihr nicht wisst, was WIRKLICHER Hass eigentlich ist. Ihr könnt es zum Glück niemals fühlen, denn jede Seele besteht wie gesagt aus vielen Teilen, jeder Teil für eine Inkarnation die ihr erlebt habt. Und wenn nur eines dieser Leben mit Liebe erfüllt war, seit ihr nicht mehr zum absoluten Hass fähig.

An dieser Stelle möchte ich ein Thema aufgreifen, dass vorhin teilweise bereits aufgekommen war.

Nehmen wir an ihr wart in eurem Vorleben vom anderen Geschlecht als jetzt. Nun inkarniert ihr erneut, weil diesmal für das, was ihr euch vorgenommen habt, das andere Geschlecht die bessere Wahl darstellt. Und nun kann es vorkommen, dass obwohl eure Erinnerungen an die anderen „Kuchenstücke" und den gesamten Kuchen – also an eure Vorleben und an die Zeit in der geistigen Welt „gelöscht" sind, sich Aspekte von Vorleben in euren jetzigen Charakter einmischen.

So fragen sich viele Menschen, wie Leute, die in guten und behüteten Verhältnissen aufwachsen, dennoch plötzlich zu Kriminellen werden, obwohl ihnen in ihrem Leben wirklich nie schlechtes widerfuhr und auch ihr Umfeld keinen „Absturz" begünstigt hätte.

Doch bedenkt wieder das obige Beispiel mit den Geschlechtern: Ein Mann, der früher eine Frau war und sich auch heute noch zu Männern hingezogen fühlt…warum? Weil vielleicht das Vorleben so intensiv erlebt wurde, dass dies sich übertragen hat.

So entsteht bei euch in vielen Fällen „Homosexualität".

Bzw. so kann es vorkommen, dass manch ein Mann oder eine Frau „unterentwickelt" oder gar „fehlentwickelt" ist. Eben weil sich auch körperliche Eigenschaften übertragen können.

Der Gipfel all dessen ist dann gegeben, wenn eine Frau sich plötzlich als „Mann" fühlt.

Um das aber an dieser Stelle deutlich zu machen: Ihr wählt euch das Geschlecht aus, um damit zu leben.

Ihr könnt das nicht „ändern". Auch wenn ihr das denkt, ihr bleibt biologisch und vom Seelenaspekt her das, als was ihr kamt. Natürlich gibt es das Prinzip von „Versuch und Irrtum" – aber in solchen Fällen lag dann der Irrtum eher daran, nicht noch ein wenig in der geistigen Welt zu bleiben, damit sich die Seele wieder „sammeln" kann.

Auch mein Schützling hat mit derartigen Problemen zu kämpfen. Doch wird er deswegen nun schwul oder lässt sich „umoperieren"? Nein, denn für die Aufgaben, die vor ihm liegen muss er sein, was er ist und er ist GERNE, was er ist.
Dennoch lassen sich körperliche Auffälligkeiten nicht verhindern, ebenso wenig wie die Tatsache, dass er mit Frauen wesentlich besser klarkommt, sie ihm nicht das „fremde" Geschlecht sind. Jedoch nicht auf der Art eines „Casanovas", sondern mehr wie eben ein guter Freund.
Solche Menschen gibt es mehr als man denkt und die wenigsten von ihnen erliegen dieser ungewöhnlichen Situation und werden homosexuell.

Aber ich komme vom eigentlichen Thema ab. Dies nur zur Verdeutlichung, dass euer Charakter durchaus geprägt ist von dem, was euch in euren Vorleben alles widerfahren ist.

Wir hatten auch bereits das Thema „Mord". An jene, welche dies immer noch als geeignetes Mittel der „Bestrafung" sehen, geht jetzt meine Frage: Was denkt ihr, passiert mit dem Menschen, den ihr da tötet? Denkt ihr, er ist dann einfach „weg"?

Ich kann euch das real so abgelaufene Beispiel schildern:

In Mexiko kam 1953 ein Junge zur Welt, der von Anbeginn besessen war, seinen Vater zu ermorden. Der Vater hatte ihn zwar nie wirklich schlecht behandelt, doch der Junge zeigte schon von klein auf extremste Abneigung gegen ihn. Ihr könnt euch denken, dass da irgendwas aus seinem Vorleben mitgekommen sein musste oder?
Ich kann euch so viel schon verraten, seine Seele war selbst nach dem Tot seines früheren „ich" noch so voller hass, dass sie sofort wieder inkarnierte.
Dieser Junge schaffte es dann mit 10, seinen Vater nachts im Schlaf zu töten.
Auf die Frage, warum er es getan hätte, antwortete er nur immer wieder:
„Das Schwein hat mich umgebracht, jetzt habe ich Rache genommen!"
Der Junge begann 1970 Selbstmord…

Jahre später fand man heraus, dass besagter Vater am Mord an einem Bankangestellten beteiligt war. Der Überfall, welcher sich 1952 ereignete, konnte erst 1966 aufgeklärt werden, da Teile des geraubten Geldes sichergestellt und zurückverfolgt werden konnten. Der Partner des Vaters, der am Überfall beteiligt war, gestand und bezeugte, dass genau dieser Vater eiskalt den Bankangestellten erschoss, obwohl beide bereits das Geld hatten und aus der Bank verschwinden wollten.

Eine sinnlose Tat, allemal. Doch wurde sie genauso sinnlos gerächt. Denn was passierte ihr mit den

Seelen? Am Ende waren sie doch beide wieder in der 7. Dimension vereinigt, vereinigt ebenso mit all ihren Seelenaspekten und dem Überblick darüber, was sie taten. Und mit dem nötigen Abstand kam auch die innere Ruhe wieder und beide „sprachen sich aus". Ihr könnt euch ein Gespräch unter Seelen vorstellen, wie wenn auch eure Mitseelen, euer „Gewissen" zu euch spricht: Über Frequenzen. Beide begeben sich auf „die selbe Ebene", also die gleiche Frequenz, und beginnen, gleich zu schwingen. So können sie kommunizieren, so könntet auch IHR kommunizieren. Doch dazu später mehr.

Ihr seht zum Schluss waren beide Mörder und beide haben sich in der geistigen Welt versöhnt. Und was haben sie wohl getan? Ihr könnt es euch denken. Sie inkarnierten beide 1979 als Zwillinge in eine Familie in Deutschland.
Sie haben keine Ahnung, dass gerade über sie geschrieben wird. Auch haben sie ihre Erinnerungen an all das verloren. Mein Zögling erfährt in diesen Sekunden auch das erste Mal von dieser Geschichte, genau wie ihr. Aber das ist auch nicht weiter wichtig. Weder werde ich euch nun Namen oder sonstiges verraten, denn es würden sicher trotzdem viele einfältige Idioten kommen und meinen Schützling fragen, woher ER das wissen würde.
Nochmals: ER weiß es nicht!

Er weiß von gar nichts, er sitzt nur hier an seinem Computer und wird von mir zum Schreiben angetrieben, das einzige was er macht ist, er liest all das während er es schreibt genauso fasziniert wie ihr und vielleicht verbessert er ab und zu mal einen Fehler wenn er gerade einen sieht bei der Geschwindigkeit, wie ich ihn anhalte, zu schreiben…

Belassen wir aber nun dieses düstere Kapitel um Mord und allgemein die schlechten Seiten eurer sog. „Zivilisation". Widmen wir uns lieber wieder der bevorstehenden und teilweise bereits in vollem Gange stehenden Schwingungserhöhung.

Was spielt ihr dabei jetzt für eine Rolle? Wie schon erwähnt werden danach nur noch jene hier Platz haben, die von der Schwingungsfrequenz ihrer Seelen mithalten können, die also geistig um einiges höher entwickelt sind.

Der Knackpunkt ist: Ihr könnt teilhaben an der Erhöhung! Ihr könnt sie mitmachen, mitschwingen und am Ende dann ebenfalls auf dieser höheren Ebene stehen!
Doch das geht nicht automatisch, das ist nichts, was einfach so passiert. Ihr müsst etwas dafür tun und zwar nicht, wenn es vorbei ist, dann ist es zu spät! JETZT müsst ihr handeln, euch selbst hinterfragen.

Wisst ihr, ihr WISST, warum ihr hier seid! Ihr fragt MICH, warum ihr hier seit, weil ich euch Eingangs sagte, auf diese Frage würde ich euch gerne antwort geben! Und das werde ich! Denn ihr wisst es tief in eurem Innern!
Ihr seit nur zu bequem oder eure Weltsicht zu verschleiert, als dass ihr es erkennen könntet. Die wenigsten werden mit ihrer Mitseele auch nur

versuchen zu reden. Und noch viel weniger werden
wohl auf sie hören.

Es ist ja nicht so, dass wir euch „befehlen" würden,
was ihr zu tun habt. Ihr seid freie Wesen, die hier auf
diesem Planeten sind, um Erfahrungen zu machen.
Für euch selbst aber auch für alle anderen Seelen.
Denn so wie schon vor Urzeiten jede Seele ihre
Erfahrungen mit den anderen teilte, so ist dies auch
heute noch so.

Wisst ihr eigentlich zu was ein jeder von euch im
Stande ist zu tun? Mit einem wachen Geist seid ihr im
Stande, euch in dieser Welt Dinge zu ERSCHAFFEN!!
Ihr seit im Stande, das was ihr als „Realität"
bezeichnet entschieden zu verändern. Es hängt nur
von eurem geistigen Reifegrad, eurer Frequenz ab.
Die Zukunft der Erde wird Leuten gehören, welche z.B.
zum telefonieren keine Technik mehr benutzen
müssen, welche die Gedanken eines anderen förmlich
„sehen" oder „spüren" können. Ebenso wird es die
meisten Krankheiten dann nicht mehr geben, weil die
Menschen der Zukunft die Fähigkeit zur Selbstheilung
erlangen werden.

Und wisst ihr was? IHR könnt diese Menschen der
Zukunft sein! Das sind keine anderen Menschen! Wir
haben hier 8 Milliarden Seelen zusammengepfercht,
das ist ein ganz schöner Haufen sag ich euch! Die
wenigsten werden es auf die nächste höhere Stufe
schaffen. Aber selbst wenn 7 Milliarden gehen müssen
und auf andere Planeten, wo die Frequenz niederer
ist, weiter ihre Erfahrungen sammeln werden – ein

Milliarde ist immer noch sehr viel! Und diese eine Milliarde aufgewachter Menschen könnte für die ganze Galaxie – und in der geistigen Welt sogar für den ganzen Kosmos eine Menge bewirken!

Jedoch haben wir derzeit ein großes Problem: Ihr wacht entweder nicht auf und wenn welche von euch mal RICHTIG aufwachen, mutieren sie irgendwie zu weltfremden Spinnern. Oder noch schlimmer: Leute, die ein wenig Erfahrung und Wissen erlangt haben, beginnen damit, Geld zu machen. Sie selbst verkaufen ihre Ratschläge und ihre Dienste für viel Geld und natürlich machen sie auch ein großes Geheimnis um ihre „Fähigkeiten".
Ihr bewegt euch in eurem Aufwachprozess nach wie vor von der geistigen Quelle fort! Dabei merken das die meisten von euch noch nicht einmal. In Zukunft kann es daher durchaus sein, dass sich bei der Schwingungserhöhung deutlich mehr Menschen von hier verabschieden müssen, als geplant.

Um zu verstehen, wie wir das so genau wissen können will ich an dieser Stelle wieder einmal einen kleinen Exkurs in unsere Dimension wagen.
Zunächst einmal behandeln wir folgende Frage: Warum können einige Menschen im Schlaf die Zukunft voraussagen?
Nein gleich zu beginn: Das sind KEINE besonderen Menschen. Und sie müssen auch NICHT von „grenzenloser Liebe" erfüllt sein.
Wenn ich das lese müsste ich wirklich sagen mir wird übel – welch Glück dass einem nicht übel werden

kann, wenn man keinen Magen hat, weil man gar nicht in der materiellen Welt inkarniert ist.

Die Menschen von denen ich rede, sind Leute wie ihr alle. Ihr alle hattet vielleicht sogar schon solche Träume, fast möchte ich darauf sogar wetten dass ihr sie hattet.

Ich kann euch auch sagen warum:

Ihr erinnert euch vielleicht dass ich erklärte, die Gedanken würden im Traum in die „Zwischenebene" fließen, die 5. Dimension. Sie sind damit losgelöst von eurem Raum-Zeit Gefühl. Und weil in der 5. Dimension praktisch alles überall ist und auch die Zeit nicht linear verläuft, kann folgendes passieren:

1. Ihr „träumt" die Gedanken eines anderen
2. Ihr träumt von Ereignissen aus deren oder eurer Vergangenheit
3. Ihr träumt von Ereignissen aus deren oder eurer ZUKUNFT

Wichtig dabei ist, dass es dennoch eine Kopplung an die 4 dimensionale Raumzeit gibt. Diese besteht seit Anbeginn des Alls. Das soll heißen, die Gegenwart ist ein fixer Punkt. Reisen in die Vergangenheit sind zwar theoretisch machbar und wurden auch schon probiert, jedoch kann ich mit ziemlicher Gewissheit sagen, „Zurück in die Zukunft" ist ein toller und lustiger Film aber absolut niemals realisierbar.

Schon allein wegen des Energie-Erhaltungssatzes. Die Materie aus der ihr besteht ist hier im Universum auch vorhanden gewesen, als IHR, also eure fleischliche Hülle, noch nicht existierte, ihr noch nicht inkarniert wart.

Und daher kann man nicht einfach in die Vergangenheit reisen – oder die Zukunft – es wäre dann mehr Materie im Universum, als von Anbeginn der Zeit dort war und dies ist eben nicht möglich, außer es würde als Kompensation dafür Materie abgezogen mittels einer „Mini-Singularität".

Beschränken wir uns daher auf die art der „Zeitreise" die es denke ich auch ganz gut tut: Dem „Blick in die Zukunft". Dieser wurde bereits technisch realisiert auf eurem Planeten, auch wenn dies strengster Geheimhaltung unterliegt. Doch das amüsante daran ist, eure Regierungen und Militärs machen einen riesen Trubel darum, diese Technik zu entwickeln und geheimst zu halten – dabei könnt ihr das alles schon von euch aus ganz ohne Technik!

Die Frage ist jedoch eine andere: Ist die Zukunft denn unabwendbar? Und hier kommt die entscheidende Antwort: NEIN!!
Und zwar aufgrund des Fixpunkts „Gegenwart", sprich der Ordnungsgröße der 4. Dimension. Sie bestimmt folgenden einfachen Sachverhalt:

<u>Die Zukunft ist ein nicht näher bestimmter, möglicher Zustand des Alls, der zur Gegenwart werden KANN, wenn die derzeitig existierende Gegenwart *unverändert* weiterläuft.</u>

Demnach ist im Grunde JEDE Zukunftsvision „falsch". Denn wie kann man in einem niemals stagnierenden Universum schon annehmen, die derzeitige Gegenwart würde unverändert so weiterlaufen? Jeder von euch hat seinen freien Willen und tut, was ihm

beliebt. Daher ist es auch logisch, dass quasi der berühmte „Sack Reis in China" umgeworfen wird und dadurch alles verändert wird.
Wenn derart kleine Veränderungen jedoch das einzige sind, was sich in der Gegenwart verändert, hat dies logischerweise keinen wirklichen Einfluss auf die großen Ereignisse.
Ein Beispiel: Ihr träumt, dass es morgen regnet. Das Wetter mit seinen Hoch -und Tiefdruckgebieten ist derart global aufgebaut, dass da noch so viele Kleinstereignisse sich anders entwickeln, als wie es zum Gegenwartszeitpunkt des Zukunftstraumes war. Dennoch wird sich das Wetter dadurch nicht verändern – 99% der gesehenen Zukunft werden also demnach zur Gegenwart.

Sprich JEDE Zukunftsschau sieht die Zukunft so, wie sie sich zum Zeitpunkt der gerade gegenwärtigen Linearzeit darstellen würde, wenn diese sich nicht verändern würde. Etwas anderes ist dem Universum nicht möglich zu sehen, da die materielle Welt eben nach der 4. Dimension geordnet ist.
Somit ist theoretisch JEDES Ereignis, das wir vorhersehen können, auch abwendbar.

Für uns ist die Zukunftsschau noch wesentlich einfacher, als für euch. Wir „leben" in der geistigen Welt, sprich wenn wir wissen wollen, wie die mögliche Zukunft ist, „denken" wir an sie und „sehen" dann augenblicklich eine schier unendlich große Anzahl an möglichen alternativen „Zukünften".
Und eine dieser Alternativen speziell auf die Zukunft eures Planeten betrachtet, hat sich in letzter Zeit vermehrt gehäuft.

Damit war von uns nicht gerechnet doch die Situationen haben sich geändert und damit auch die mögliche Zukunft.

Und was wir eben gerade sehen ist die Gefahr, dass das ganze „Projekt Erde" von euch selbst durch eure eigene Dummheit vernichtet wird. Zum einen weil es Leute gibt, die fern ab ihres Lebensplans leben, zum Anderen weil es Leute gibt, die zwar von all diesen Dingen teilweise wissen, die aber dann dem Fehlschluss erliegen, weil wir ja „alles sehen" wäre auch „alles geplant" und alles müsste so ablaufen, wie es derzeit läuft.

Aber bitte vergesst nicht: Wir sind nicht allmächtig! Wir sind keine „Götter"! Und darum kann auch alles eintreffen, was eben möglich ist und wir können lediglich sehen, wie wahrscheinlich es zum gegenwärtigen Zeitpunkt ist.
Ich möchte eine kurze Entwicklung der letzten Jahre bringen um euch das näher zu verdeutlichen:

2002 brachten wir meinen Schützling von seinem falschen Weg zurück und mit wichtigen Themen in Kontakt. Wir sahen, dass dies wichtig war, weil er später eventuell einmal für andere Menschen eine Hilfe sein müsste.

2003 war dies zur Gewissheit geworden und er begann damit, in größerem Stil Menschen über die Gefahr einer möglichen Zukunft aufzuklären. Auch ich fing an mit ihm wieder verstärkt zu kommunizieren und aufzuklären.

2004 wurde ein Jahr der Prüfungen für ihn und es sollte sich zeigen, ob er in der Lage ist, sie zu meistern. Würde er es schaffen, wäre er für uns der geeignete Kandidat für eine Zeit NACH der Schwingungserhöhung. Gleichzeitig war in diesem Jahr die Erhöhung bereits geplant. Doch verschiedene Faktoren mit denen wir zu spät rechneten entwickelten sich. Viele Esoteriker weigern sich zu glauben, dass dies möglich wäre. Aber letztlich reguliert sich das Universum nur selbst und daher kann es sehr wohl dazu kommen, dass dessen Energie sich eben so verteilt, wie der Fluss gerade ist. Auf gut deutsch: Wir hatten nicht damit gerechnet, dass 2004 nicht das Jahr der Wende sein würde.

2005 beschlossen wir, zum Krafttanken zu nutzen. Ein Jahr in dem nicht wirklich viel passieren sollte. Aus der 8. und 9. Ebene kam der Beschluss, bereits eine gewisse Anzahl von Seelen von der Erde „abzuziehen". Dies wurde ende 2004 realisiert. Auch im letzten Jahr war man dabei, dies fortzusetzen. Die Lage wurde langsam kritisch, vor allem weil immer noch nicht klar ist, wie die Zukunft definitiv ablaufen wird.

2006 meinten wir, die Alternativen überschauen zu können und einen Plan herauslesen zu können. Was wir da sahen, gefiel uns nicht, da es entgegen allem, was eure Zukunftsleser vorausgesagt haben, auch so ausgehen kann, dass die Menschheit als Verlierer dastehen wird

Für uns persönlich als Seelen hätte das den Effekt, dass wir die Chance vertan hätten, eine neue Zivilisation zu gründen, welche aufgrund ihrer besonderen Eigenschaften, die die Menschen haben, eine Art „Leitposition" einnehmen könnte.
Dafür müssten allerdings sämtliche „Herrscherallüren" die ihr derzeit noch zeigt, verschwinden.
Derzeit nicht wirklich anzunehmen und das, was gerade auf eurem Planeten abläuft ist beängstigend.
Wir nehmen darum immer wieder und verstärkt mit euch Kontakt auf, weil dies jetzt bald die allerletzte Chance sein wird, etwas zu ändern!
Wenn ihr nämlich nicht schon heute, VOR der Frequenzänderung den inneren Wandel vollzieht und euch euer selbst bewusst werdet, werdet ihr es nicht überleben. Eure Seele schon – aber die Menschheit nicht. Sie wird aus der materiellen Welt genommen werden und wir sind wieder ziemlich bei Null.
Das einzige, was wir dann als Alternative hätten, wäre eine neue Zivilisation zu begünstigen. Die derzeitigen anderen Hochkulturen, die mit unter wie gesagt geistig sogar über euch liegen, sind einfach nicht geeignet für die anstehenden Aufgaben.

Ich und mein Schützling wurden ausgewählt, weil er sich im Laufe der Zeit in eurem Internet einen kleinen „Namen" gemacht hat. Er ist auch unter „Esoterikern" kein Unbekannter mehr. Aber er hat sich als einer der Wenigen trotz allem, was wir ihn gelehrt haben, seine Normalität bewahrt. Nun ist es an uns, ihm noch die letzten Geheimnisse zu offenbaren, die er benötigt.
Nicht, damit er allein etwas ausrichtet. Denn mit ihm und durch ihn sollen ja auch jene, die ihn schon

kennen, davon profitieren. Und danach jene, welche DIESE Menschen noch kennen. Das ganze soll sich schneeballartig ausdehnen. Irgendwann wird man vergessen, wo es den Anfang nahm.

Und außer, dass wir uns so nun mitteilen, auf diese ganz normale, ruhige und „normale" Art und Weise, werden wir auch noch andere Wege gehen. Nur werden sich bald schon die ganzen selbsternannten „Propheten" fragen, warum sie von uns nichts oder nur nicht wirklich aussagefähiges erhalten. Wir verschwenden unsere Energie nicht mehr auf solche Leute. Die Zeit rennt uns davon – und wenn das ein Wesen aus dem eigentlich „zeitlosen" Raum über der 4. Dimension sagt, dann könnt ihr mir glauben, dann meinen wir das SEHR ernst!

Ihr mögt vielleicht denken, ob das jetzt ein verzweifelter, letzter Aufschrei von uns ist. Ob wir wirklich denken, wenn wir mit EINEM Menschen „normal" reden, dies etwas verändern würde.
Sicherlich nicht. Aber mit einem fängt es an und aus einem werden viele. Es wird sich nicht nur so herumsprechen, dass hier eine völlig neue Technik beschrieben wird, mit uns zu reden. Dass hier Dinge über unser Universum stehen, die so noch nicht erzählt wurden. Und dass hier auch Fähigkeiten und deren Anwendung beschrieben werden, welche der Mensch jetzt schon in sich trägt und er zukünftig einfach nur anwenden muss.

Wir haben es letztes Jahr schon versucht anklingen zu lassen, es dann aber wieder fallen gelassen. Es ist wichtig, was ich euch jetzt sage:

Die „Schwingungserhöhung" geht von euch selbst aus! Sie findet in einfach ALLEM was ist statt. Aber wenn ihr vom Geiste her, von der Seele aus nicht mitmacht, wird euer Körper schneller beginnen zu schwingen als euer Geist. Ihr werdet entweder verrückt werden oder krank, letztlich wird euer Körper den Geist abstoßen und verenden, da er ohne Geist nicht lebensfähig ist.
Eure zunehmende Verrücktheit, die wir in der Welt gerade erfahren wird sich in Kriegen und andern Auseinandersetzungen äußern.

So werden nochmals viele gehen müssen. Und dann kommen noch Naturereignisse hinzu, die von uns eingeleitet werden, um jene zurückzuholen, welche ohnehin nicht lange bleiben sollten.

Ihr seht, bevor das „Goldene Zeitalter" beginnt müsst ihr erst eure Hausaufgaben machen und die Abschlussprüfungen meistern!
Und dafür muss die Frequenzerhöhung eures Geistes von EUCH aus geschehen!
Wir können auch anstupsen, euch drängen, Hinweise geben etc. Aber aufwachen, erkennen, sehen und handeln müsst ihr SELBST!

Lasst mich vor allem auf folgendes hinweisen: Ich habe ja bereits im Vorfeld erwähnt all das was ihr als „hass" bezeichnet, ist lächerlich im Vergleich zu dem Grad an Abkehrung vom kosmischen Prinzip, wie es in der 13. Ebene vorherrscht.
Doch gerade diese Ebene macht uns zu schaffen. Denn eure Hassgefühle NÄHREN diese Dimension! Durch euer Fehlverhalten und eure negativen Gedanken, gebt ihr dieser „Sammelstation" für alles

Negative im Grunde das, was sie braucht um zu existieren. Und ich sage es hier so traurig es ist: Euer Planet befindet sich kurz davor, die Hauptquelle zu werden, welche diese 13. Ebene mit Energie speist.
Wie gesagt – niemand von euch wird dort hingelangen. Jedoch sind noch immer eine stattliche Anzahl von Seelen dort.
Macht nicht den Fehler und denkt, dies sei ein anderer Ort, weit weg von euch. ALLE Dimensionen befinden sich im selben Raum um euch herum! Das bedeutet ebenfalls, dass auch die 7. und die 13. Dimension – jene Ebenen, auf der einmal die „guten" und dann die „bösen" sind, um euch herum existieren! Ich hoffe ihr wisst jetzt, dass die Begriffe „gut" und „böse" eure eigenen Erfindungen sind. Es gibt so etwas im Grunde genommen gar nicht. Nur die einen handeln nach dem kosmischen Prinzip und die anderen eben nicht.

Da sie alle im gleichen Raum liegen, können die Seelen aus der 13. Ebene auch genauso mit euch oder uns kommunizieren wie wir. Wenn ihr euch das einmal wirklich in seiner Gänze vorstellt, wird euch vielleicht die Tragweite davon bewusst.
Diese Seelen haben meist den Drang, mit Energie versorgt zu werden. Ihre Schwingungssequenz ist derart niedrig, dass sie drohen, in Starre zu fallen. Um dies zu verhindern, brauchen sie Energie – Lebensenergie. Diese Energie ist das, was eine Seele im Grunde genommen aus der Umwelt heraus umwandelt und damit den fleischlichen Körper am Leben erhält. Dieser hält sich selbst natürlich dann ebenfalls mit materiellen Umwandlungsprozessen am Laufen.

Aber diese Umwandlungsenergie, welche Seelen eigentlich ihrem Wirtskörper zuführen, diese könnten wir, könntet ihr und können auch jene aus der untersten Ebene anzapfen. Nur macht außer denen das im Grunde keiner.

Nun wie gehen diese Wesen dabei vor? Sie suchen sich meist einen leicht beeinflussbaren Mensch, der evtl. auch gar nicht auf das hört, was seine Mitseele ihm ins Unterbewusstsein sendet. Dann „heften" sie sich an diesen Menschen und beginnen ihn zu manipulieren, zu beeinflussen. Der Mensch entfernt sich dadurch noch weiter von seinem Weg, beginnt irgendwann negative Energie auszusenden, seine Gedanken richten sich auf die dunkle Seite des Lebens. Genau das ist es, was sie wie Blutegel anzieht. Ein Teufelskreis.
Eure Religionen bezeichnen so etwas als „Dämonen" und Leute, die mit so was zu kämpfen haben als „besessen".

Denkt im Übrigen nicht, nur weil ihr vielleicht eine Menge über all diese Dinge nun wisst seid ihr vor so etwas sicher. So hat zum Beispiel auch meine Schützling mit dem Problem zu kämpfen und ich denke den meisten die dies hier lesen, wird es genauso gehen. So etwas fängt man sich schneller ein, als einem lieb ist und da kann man noch so viel „Wissen" besitzen und sich sagen, man wäre dadurch dagegen immun.

Wisst ihr eigentlich was auch mich als Mitseele manches Mal wirklich zum Gefühl der großen Unzufriedenheit – ich möchte nicht sogar Wut sagen –

bringt? Dass viele von euch bereits ein sehr hohes Wissen angesammelt haben.

Aber so viele von euch nutzen es entweder nicht oder handeln sogar dennoch weiterhin so, dass es euch von eurem richtigen Weg wegführt. Der Weg, den ihr euch vor eurer Inkarnation ausgesucht habt.

Früher war das wie gesagt alles nicht so tragisch, ihr musstet dann eben ein weiteres Leben in Kauf nehmen, noch einmal inkarnieren, damit ihr eure Erfahrungen eben machen könnt. Aber ich frage euch: Warum denkt ihr wollen so viele Seelen gerade als Mensch inkarnieren? Ihr seid ganz schön vermessen wenn ihr euch als die „Krone der Schöpfung" bezeichnet. Jedoch steckt auch in dieser Aussage ein Körnchen Wahrheit. Die menschliche Hülle ist eine der effizientesten, welche je vom Universum hervorgebracht wurde. Daher wäre ein Aussterben dieser Gattung ein großer Verlust für uns. Es gibt Leute bei euch, welche behaupten auf anderen Planeten gäbe es ebenfalls humanoide Wesen. Das mag durchaus so sein doch lasst euch von mir sagen: Diese sind ziemlich groß und auch nicht wirklich mit ihrem Körper so geschickt wie ihr. Ihr seid die einzigen, welche sowohl mit dem Kopf als auch mit dem Körper exzellente Arbeiten verrichten können.

Warum ich das nun erwähne? Weil es eure letzte Chance ist! Wenn sie niemand nutzt bleibt dem Universum nichts umhin, sich selbst so umzuorganisieren, dass wieder Gleichgewicht herrscht. Und das würde de fakto das Aussterben der Menschen bedeuten. Eure Seelen würden auf andere Planeten gehen. Diese wurden bereits in einen Zustand versetzt, welcher dies begünstigt. Jedoch die derzeitigen Lebensformen, welche dann durch

„Populationsexplosion" eure Seelen aufnehmen würden, welche noch mehrfach inkarnieren müssen, um ihre Erfahrungen zu machen, sind längst nicht so gut ausgebildet wie ihr es seid.

Ohne euch schockieren zu wollen, aber leider haben die meisten Lebensformen eher insektenähnlichen Charakter. Ich weiß nicht ob euch die Vorstellung gefällt, ein Leben als 10-gliedrige, 3 Meter lange „Spinne" zu führen. Eigentlich eher eine Mischung aus Raupe und Spinne – mit der Fähigkeit zur Kommunikation und der Verrichtung einfacher arbeiten.

Vom Intelligenzgrad her sind sie euch derzeit so ziemlich ebenbürtig, daher wurden sie ausgewählt.

Ich weiß die meisten können sich nicht vorstellen, dass es da draußen wirklich insektoides Leben geben soll, welches tatsächlich so lebt und handelt wie ihr es tut.

Doch ob ihr mir glaubt oder nicht ändert nichts an der Tatsache dass es so ist. Ich zwinge ja niemanden, meinen Worten zu glauben.

Und ich weiß dass viele von euch sogar nach dem Lesen dieses Textes weitermachen werden, gegen ihren eigenen Plan zu handeln. Natürlich stellt sich da auch für mich, für uns aus der geistigen Welt die Frage, warum wir versuchen sollten, euch davor zu bewahren, mit der Schwingungserhöhung von diesem Planeten gefegt zu werden.

Es gibt Stimmen die sagen, für den Planeten wäre dies ohnehin das Beste. Wenn man sich euch und euer Handeln derzeit ansieht bin ich sogar geneigt dem zuzustimmen. Doch sehe ich auch die Zukunft und ich sehe sie wirklich! Ich überblicke eine Vielzahl möglicher Alternativen und versuche, die richtigen Ratschläge zu geben, um die bestmögliche Realität (Gegenwart) werden zu lassen. Das machen wir alle. Täglich. Stündlich. Sekündlich und Trilliardenfach und mehr.

Es gibt Stimmen unter uns die meinen, man sollte euch gar nicht mehr helfen. Wieder dazu übergehen, die Seelen ohne Seelenbegleiter auf die Erde zu schicken und dafür sorgen, dass „Intelligenz" den höheren Dimensionen vorbehalten bleibt.
Doch dies wäre ein Rückschritt und es würde die Entwicklung unseres Selbst und von allem, was ist zum Erliegen kommen lassen.

Daher ist dies keine wirkliche Möglichkeit für uns, nur eben Gedanken, die fern einer Umsetzung gedacht werden. Unsere beste Möglichkeit, das Bevorstehende auf diesem Planeten zu eurem Besten, zu unserem Besten und zum Besten von einfach Allem zu beeinflussen besteht darin, euch diese Informationen zumindest zugänglich zu machen.
Dies geht einmal natürlich über den „herkömmlichen" Weg, indem dieser Text weiterverbreitet wird, ihn viele Menschen lesen, verstehen und weiterreichen.
Der andere Weg findet über die 5. Dimension statt.
Denn dieser kommt nicht nur im Traum eine ganz spezielle Bedeutung zu.
Auch ihr könnt sie nutzen und nutzt sie unterbewusst.
Und zwar zur unmittelbaren oder mittelbaren Beeinflussung eures Umfelds.

Dies ganze habt ihr euch folgendermaßen vorzustellen: Eure ganzen Erinnerungen, eure Gedanken etc. liegen NICHT in eurem Gehirn!
Stellt euch euer Gehirn als eine Art Prozessor in einem Computer vor. Es ist die zentrale Recheneinheit eures Körpers, es verarbeitet Informationen, bereitet sie auf, steuert die Abläuft in euch. Doch die Impulse für diese Steuerung, die Energie, kommt aus der Seele, welche ja Energie aus der 7. Dimension ist. Über die 5. Dimension ist diese Seele mit dem Körper fest „verschweißt" also inkarniert. Und dadurch sollte auch klar sein, dass alles was ihr erlebt direkt zurück in die 7. Ebene gelangt, zum großen „Erfahrungs- – und Wissenspool" sozusagen. Das ist auch der Grund, warum ihr über die 5. Ebene vor allem im Traum aber auch tagsüber in Kontakt mit anderen Seelen steht. An vorderster Stelle natürlich mit eurer Mitseele, die euch täglich „einflüstert" – auch wenn ihr meistens nach wie vor nicht zu hören beginnt. Aber auch andere Gedanken von ganz anderen Menschen können in euren Geist gelangen und umgekehrt auch eure Gedanken in deren.
Warum? Nun auch das kann man ganz einfach ohne viel Esoterik erklären. Stellt euch zwei Funkgeräte vor. Beide sind 3 Kilometer entfernt. Nehmt nun noch zwei weitere, die an anderen Orten stehen innerhalb dieses 3 Kilometerradius. Die ersten zwei senden auf Kanal 2 (eine spezielle Frequenz im Funkband), die anderen beiden auf Kanal 3 – einer ganz anderen Frequenz.

Jetzt wechselt aber plötzlich einer der Funker seinen Kanal von 2 auf 3 und hört unerwartet, dass noch jemand anderes zu funken scheint. Er stellt wieder zurück ohne mit diesem „jemand" zu reden und vergisst es wieder, denn er redet ja auf Kanal 2.

Nichts anderes tut ihr unterbewusst in jeder wachen und auch träumerischen Sekunde eures Lebens! Jeder von euch „schwingt" bzw. „sendet" auf einer gewissen Frequenz. Eure Gedanken, eure Hirnströme sind diese Frequenz. Dabei ist es nicht etwa so, dass jeder von euch einen einmaligen Kanal hat. Es gibt eher sozusagen auch in der geistigen Welt „Frequenzbänder". Dabei wechselt ihr fast sekündlich eure Frequenz, ändert die Schwingung eurer Gedanken. Wenn ihr erregt und wütend seid, verlaufen eure Hirnströme ganz anders, als erregt und glücklich oder entspannt und glücklich. Eure Gefühle, Gedanken und Emotionen legen fest, auf welcher „Wellenlänge" ihr sendet.

Dies ist zunächst mal das Grundwissen, das ihr jetzt für das Folgende braucht. Ich beschreibe euch jetzt an dieser Stelle mehrere Fähigkeiten des menschlichen Geistes, die ihr alle in euch habt und die wir euch auch nicht vorenthalten wollen.
Der Knackpunkt ist, dass ihr NICHT erst durch die Schwingungserhöhung in der Lage sein werdet, diese Fähigkeiten zu nutzen, sondern durch die Nutzbarmachung und Entdeckung dieser Kräfte ihr die Schwingungserhöhung selbst vollzieht!!

Die wichtigste Fähigkeit ist jene zur sog. „Manifestation" oder „Visualisierung". Wir haben bereits die Möglichkeit zur Zukunftsschauung beschrieben. Auch diese läuft über die 5. Ebene ab. Nun geht es darum, dass ihr durch eure Gedanken eure Realität beeinflussen könnt. Dies habe ich ja bereits mehrfach erwähnt. Nun möchte ich darauf auch ein wenig detaillierter eingehen.

Wie gesagt eure Gedanken beeinflussen euer Umfeld. Wenn ihr nur negativ oder nur positiv denkt, ändert sich eure Frequenz entsprechend. Sprich in euren Geist fließt nur noch ein, was auch auf eurer „Wellenlänge sendet". Darum findet ihr als Optimisten keinen wirklichen Zugang zu notorischen Pessimisten und umgekehrt. Ihr sendet auf unterschiedlichen Ebenen. Und so, wie sich das verändert, was in euren Geist fließt, verändert sich auch eure Weltsicht, verändert sich auch euer Geist und damit auch eure Realität. Denn Realität ist lediglich was ihr als solche betrachtet, sie ist subjektiv. Eine „objektive Realität" ist gar nicht erzeugbar außer als sture und stupide Beschreibung der materiell existierenden Welt. Sobald wir Gefühle, Gedanken und Emotionen ins Spiel bringen – sprich LEBEN, wird aus der objektiven Realität IMMER eine subjektive.

Daher könnt ihr kraft eurer Gedanken eure eigene Realität wirklich verändern! Das ganze kann übrigens so weit reichende Auswirkungen haben, dass ihr somit euch und eure Mitmenschen unterbewusst so beeinflussen könnt, dass verschiedene Ereignisse stattfinden oder nicht.

Das ganze kann an dem Beispiel der „größten Angst" beschrieben werden: Wenn man sich nur allzu oft und mit voller Überzeugung eine negative Situation vorstellt, wird sie auch mit 99%iger Wahrscheinlichkeit nach einer gewissen Zeitspanne so eintreffen. Die Zeit hängt von der Häufigkeit und Intensität sowie Umfang des negativ manifestierten Ereignisses ab.

Hier kommen wir zum sog. „Umkehrprinzip". Ab einer gewissen Intensität kann sich die Polarität ändern. Das kann euch eure Wissenschaft bestätigen, das ist in der Elektronik Gang und Gebe. Ihr seid quasi ein „Generator", der Wechselstrom erzeugt. Und wenn ihr nicht aufpasst, schwankt das Feld von „plus" auf „minus" um.

Andersherum ist das natürlich auch möglich, wer noch intensiver an eine „größte Angst" denkt, als normal, sozusagen so überzeugt ist, dass er es schon als seine absolute Realität sieht, der hat ja gar keine wirkliche „Angst" davor – er findet sich damit ab. Und solche Leute erleben manchmal die Überraschung, dass dann das wahre Ereignis, mit dem man sich schon abgefunden hatte, gar nicht eintrifft, sondern dessen POSITIVES Gegenstück.

Doch sollte man nicht auf diese Art versuchen, positiv zu manifestieren, das sind nur Ergebnisse und logische Folgerungen aus den kosmischen Gesetzmäßigkeiten, nach denen alles läuft und daher ist das nicht unbedingt das, was wir wollen.
Natürlich wenn jemand so überzeugt ist vom Ende der Menschheit, dass er es fast schon als Realität ansieht, kann das auch den positiven Gegeneffekt auslösen, aber darauf verlassen würde ich mich nicht. Denn es ist schwer zwischen dem Grad an Intensität zu unterscheiden der zwischen bewusstem Negativmanifestieren und „Umkehrmanifestieren" liegt.

Ich möchte innerhalb des Themenkomplexes „Manifestation" vor allem auf ein Spezialgebiet kommen: Selbstheilung oder sog. Geistheilung.

Nun detailliert in die Tiefe zu gehen, was eine „Krankheit" genau ist und wodurch sie ausgelöst wird, würde wohl zu weit führen. Nur sei soviel gesagt: Es gibt (entgegen der Vertreter der „Neuen Medizin" die alles als „gut" hinstellen) sehrwohl von der Natur eingerichtete „Killer".

Diese sind für die Aufrechterhaltung des biologischen Gleichgewichts, für Mutation und Selektion auch unabwendbar.

Jedoch wird nie willkürlich und grundlos ein Lebewesen von diesen Erregern befallen. Alles läuft nach einem Plan und nach Gesetzmäßigkeiten, vor allem nach dem Gesetz von Ursache und Wirkung ab. „Zufällig" passiert gar nichts, es gibt wie schon oft erwähnt, keine „Zufälle".

Wir schaffen uns geistig die Vorraussetzungen, um auf die „rote Liste" der Natur zu kommen, die uns „ausselektieren" will.

Nehmen wir an, wir haben ein Raubtier, welches so ungeheuer brutal ist aufgrund seiner Instinkte, dass es einfach alles andere in seinem Umfeld tötet und damit eher schädlich als nützlich für das biologische Gleichgewicht ist. Aufgrund dessen ist die logische Reaktion, dass Möglichkeiten gesucht werde, wie man das Ungleichgewicht wieder ausgleichen kann.

So kann es durch Krankheiten zu einem Massensterben dieser Tierart kommen, wodurch entweder alle verenden oder zumindest der Bestand so reduziert wird, dass das Tier wieder produktiv und nicht mehr schädlich wirken kann.

Warum bekommt ihr Menschen jetzt mit unter einen Schnupfen? Natürlich ist der Saisonal bedingt. Natürlich sind es Viren und Bakterien, die ihn auslösen, lasst euch da von euren selbsternannten „Wunderheilern" nichts erzählen! Aber wenn ihr geistig gestärkt seid, können euch diese Erreger nichts anhaben! Euer GEIST bestimmt, wie immun ihr gegen etwas seid.

Im Winter fühlt ihr euch durch die Kälte ausgezehrt und schlapp, das wenige Sonnenlicht führt dazu, dass ihr noch einmal ein Stückchen kraftloser werdet, euer Hirn arbeitet längst nicht so euphorisch wie unter heller Sonneneinwirkung. Es steht eben alles miteinander in Wechselwirkung wie ihr seht.

Und das ist auch der Grund für „Winterdepressionen" oder den Schnupfen zur kalten Jahreszeit. Die Erreger atmet ihr das ganze Jahr, jeden Tag ein. Aber nur wenn diese Faktoren und vielleicht noch andere Probleme in eurem Leben (Stress z.B.) hinzukommen, seid ihr geistig dafür empfänglich.

Es gibt natürlich die Möglichkeit, durch verschiedene Mittel die körperinterne Abwehr zu stärken, das hilft ganz gut. Aber dies sollte nur Ergänzung dazu sein, dass ihr innerlich euch wieder stärkt. Bei aufkommenden Problemen hilft es hier, sich Gedanken darüber zu machen, was im Leben gerade schief läuft. Und was einen belastet. Meist weiß man das unterbewusst ganz gut und man kann nur hoffen, dass diese Probleme dann auch lösbar sind. Denn durch die Lösung dieser Probleme seit ihr geistig wieder gestärkt und damit auch nicht anfällig für die Krankheit die euch sonst getroffen hätte.

Um diesen Zustand sehr lange aufrecht zu erhalten ist neben ständiger Selbstprüfung natürlich auch eine gewisse Zuversicht und Überzeugtheit unumgänglich. Hier setzt die Manifestation ein, wenn man einfach sich manifestiert, sich „visualisiert" wie man gesund ist und auch bleibt, wenn man sich an seiner Gesundheit erfreut und weiß, dass man nicht krank wird oder werden kann (Achtung auch hier wie überall gilt: Nicht ZU oft dran denken, sonst Gefahr der Umkehrmanifestation!!).

Dass das, was ich hier beschreibe wirkt, zeigt eure Medizin sehr eindrücklich. Ein nicht unerheblicher Bestand an Medikamenten wird euch richtig verschreibungspflichtig verordnet, hat seitenweise „Nebenwirkungen" und Dosierungsanleitungen, bestehen laut Packungsbeilage aus unterschiedlichsten Mitteln etc. Aber in Absprache mit der Pharmaindustrie, der Ärztekammer und dem Apothekenverband weiß JEDER, der in diesem Bereich ausgebildet wird, dass sie im Grunde nur Traubenzucker enthalten!

Da dieser Text in letzter Zeit häufiger gelesen wurde, kamen besonders hier viele Fragen auf. Daher sei an dieser Stelle nur kurz erwähnt dass ich sehrwohl weiß, dass nicht jedes Medikament nur ein Placebo ist. Ich frage mich aber an dieser Stelle wie ihr Menschen, die ihr meinen Text bereits in der ersten Fassung gelesen habt, auf so etwas kommen konntet. Offenbar gibt es an dem, was ich schreibe doch mehr zu interpretieren als ich annahm. Dabei möchte ich lediglich deutlich machen, dass viele Medikamente in Wahrheit eben nicht die Bestandteile beinhalten, welche ausgewiesen sind – bzw. dass diese Bestandteile nicht die Wirkung haben, welche man ihnen andichtet. Hierbei meine ich nicht Mittel wie Paracetamol oder Morphine – es sollte jedem „intelligenten" Wesen klar sein, dass derartige Medikamente aus chemischen Stoffen bestehen, welche in ihrer Wirkungsweise an Naturwirkstoffe angepasst wurden bzw. diese um eine erhebliche Potenz noch übertreffen.

Von derartigen Medikamenten spreche ich also ausdrücklich NICHT Schmerzmittel, Schnupfenspray etc. – all das sind Mittel die sehrwohl einen Effekt auf den materiellen, menschlichen Organismus haben.

Ich meine vor allem all die „Homöopathischen" Arzneien, meine Mittel zum „Aufbau der Abwehrkräfte" oder sog. „Wunderpillen", welche mit Werbeslogans wie „Schönheit muss von Innen kommen" aufwarten.
Und was ich mit der kurzen Abhandlung über die Pharmaindustrie EIGENTLICH verdeutlich wollte war nur, dass der heutige Mensch sich zu sehr medikamentenabhängig macht und zu blind dem vertraut, was er auf der Packungsbeilage liest. Anstatt euch auf eure Selbstheilungskräfte zu besinnen, schluckt ihr Pillen gegen dies und jenes und für dies und das – und suggeriert euch im Grunde oftmals nur eine Heilung, welche dann daraufhin auch eintritt.

Wem jetzt immer noch nicht klar ist, wie ich die letzten Zeilen gemeint habe, dem kann ich nicht mehr helfen, noch ausführlicher kann ich es nicht beschreiben…

Warum aber sagen euch die Ärzte nichts, wenn sie euch ein Placebo verschreiben? Weil ihnen in ihrer Ausbildung eingehämmert wird, euren Medikamentenglauben NIEMALS zu zerstören. Denn diese „Placebos" die wirklich perfekt ein wirksames Medikament simulieren, führen oft dazu, dass Betroffene Heilung erfahren.

Interessanterweise erleben dabei einige Patienten auch die beschriebenen aber erfundenen „Nebenwirkungen". Diese werden nur aufgeführt, damit der Patient auch glaubt, etwas Starkes in der Hand zu halten, einen „Krankheitskiller". Und wenn er sich jetzt geistig die Nebenwirkungen negativ hermanifestiert, dann erlebt er sie auch! Genauso wie wenn er sich die Heilung visualisiert und daran gesundet.

Dies nur als Beispiel wie faszinierend Manifestation wirken kann. Ihr könnt auch andere Leute so von ihren Krankheiten heilen. Ihr braucht kein „Jesus" sein, dieser hat doch auch nichts anderes gemacht, als einfach manifestiert. Aber probiert erstmal an euch selbst und wenn es da funktioniert probiert es bei anderen, aber ohne diesen davon zu erzählen. Und wundert euch nicht, wenn es manchmal nicht klappt – negative Manifestationen der Betroffenen können alle eure Versuche zunichte machen, da die eigenen Gedanken immer am meisten auf einen selbst wirken.

Neben dem Bereich dieser Manifestation und Selbstheilung gibt es noch einen weiteren Bereich, den ihr bald erobern werdet:
Die Mentale Kommunikation. Gedanken werden unterbewusst zwischen den Seelen (also auch zwischen inkarnierten Seelen, also Menschen) hin -

und hergesendet. Warum solltet ihr das denn bitte nicht auch bewusst steuern können?
Ich möchte hier lediglich beschreiben, wie es rein „technisch" gesehen funktioniert und mich dann auf einen weit wichtigeren Bereich abschließend wieder den höheren Dimensionen widmen.

Wie ihr ja bereits wisst senden wir alle unsere Gedanken auf einer bestimmten Frequenz – wir alle sind denkende Seelen. Und wenn ihr euch nun mit der Technik der Manifestation bildlich vorstellt, wie ihr quasi eure „Sendefrequenz" wechselt und jene einer ganz bestimmten Person einstellt, an die ihr dabei denkt, so könnt ihr damit eure Frequenz der der anderen Person „angleichen". Damit schwingt ihr dann regelrecht gleich, auf derselben Wellenlänge.
Das machen wir oftmals unterbewusst und man erlebt es vor allem bei zwei verliebten Partnern mit starker Emotionaler Bindung. Diese denken mit unter das gleiche, machen das Selbe zur Selben Zeit oder fühlen regelrecht, was der andere denkt. Dabei liegen beide wie von selbst auf derselben Ebene, die Liebe zueinander befähigt sie dazu gleich zu schwingen. Vielleicht versteht ihr nun auch, warum nicht-inkarnierte Seelen mit so gut wie jeder beliebigen anderen Seele kommunizieren kann – wir müssen nur beginnen, gleich zu schwingen.

Auch bei euch funktioniert das. Und im Gegensatz zu eurem Erdgebundenen Funk hat die mentale Kommunikation einen gewaltigen Vorteil: Sie findet über die 5. Dimension statt, die als Trägermedium dient. Und die Eigenschaft dieser Dimension habe ich ja eingangs genau beschrieben: Eine Zwischenebene zwischen „Diesseits" (materieller Welt der 1. bis 4. Dimension) und des „Jenseits" (6. bis 12. Dimension der „geistigen Welt" mit der 13. als Auslagerungsebene). Und diese Zwischenebene hat die Eigenschaft, dass dort alle Energie zu jeder Zeit an jedem Ort ist und „Zeit" ohnehin relativ zu verstehen ist. Sprich wenn ihr hier auf diesem Planeten einen Gedanken „sendet", geht der in die 5. Dimension. Hier gibt es keinen „Raum" mehr, keine Zeit und somit keine „Entfernung" oder „Sendezeit". Der Gedanke ist SOFORT ÜBERALL empfänglich!

Das mag für euch ein wenig schockierend sein, wenn ich euch anvertraue, dass ihr mit unter auch Gedanken aus ganz anderen Teilen des Universums empfangt – und umgekehrt.
Warum ihr dennoch nicht wirklich von „Aliens" träumt? Weil euer Hirn die nützliche Eigenschaft des Interpretierens besitzt.
Daher kann ein 150% iger Esoteriker nur das von uns empfangen, was er denkt, wir ihm sagen zu müssen. Und jemand, der nicht an Außerirdische glaubt, wird in seinem Gehirn quasi einen „Filter" eingebaut haben. Kommt ein Außerirdischer Gedanke von irgendwoher in diesen Geist, da er sich auf der selben Wellenlänge befindet, wird das Gehirn den Inhalt des Gedankens wiedergeben, jedoch interpretiert und umgelegt auf Bilder der Erde, so dass wir uns etwas darunter vorstellen können.
Darum hören wir auch keine Gedanken auf Suaheli oder auf Russisch, wenn ein Afrikaner oder ein Russe auf unserer Wellenlänge uns etwas unterbewusst übermittelt.

Wir hören es in unserer „Muttersprache" auf die unser Gehirn konditioniert wurde. Daher ist unser Hirn eine Art „Babelfisch" für Gedanken – alles was reinkommt wird für uns verständlich zurechtinterpretiert.
Ziemlich bevormundend oder? Auch mein Schützling kann meine Gedanken nur so interpretieren und hier zu Papier bringen, wie er konditioniert wurde. Ich wurde damit betreut, ihm all das zu vermitteln, weil seine Konditionierung uns derzeit am besten dafür geeignet erscheint, mit euch zu reden.

Kein weiteres „gechanneltes" Buch mehr. Jetzt geht es darum, euch da abzuholen wo die MEISTEN von euch stehen und nicht, wo eine Gruppe von Drogensüchtigen Esoterikern und Wunderpredigern steht.
Daher all dies übermittelt durch den interpretierenden Geist eines Menschen, der zwar eine Menge Wissen über die Zusammenhänge der Welt hat (und jetzt durch diesen Text noch zusätzlich erhalten hat) der aber in seinem Innern dennoch völlig „normal" geblieben ist. Das ermöglicht uns, wirklich in eurer Sprache und für euch verständlich zu reden.
Und warum sollten wir es uns so kompliziert machen und euch mit unserer Sprache begegnen? Dafür seid ihr nicht ausgelegt und das ist auch nicht unsere Absicht. Ihr sollt das wichtigste verstehen und mit uns auf eure Art, auf normale Art kommunizieren können. So lebt ihr ohne große Aufwendungen und ohne große Änderung eurer selbst nämlich genauso weiter wie bisher – nur dass ihr dieses Wissen anwenden werdet.
Ein zukünftiges „Goldenes Zeitalter" voll von Gitarre spielender und in Tücher gehüllter Pseudoinkas auf Weihrauch?

Nein, vorher hört ihr lieber alle weder auf diesen Text noch schon gar nicht auf jene dieser Pseudo–„Erwachten" und es kommt, wie es dann kommen muss.

Ich bin ein wenig vom Thema abgekommen, das sei mir verziehen. Wie gesagt, durch bewusste Manifestation könnt ihr euch mit eurer Frequenz an die eines anderen anpassen, an den ihr dabei einfach denkt. Es ist alles weit einfacher, als ihr immer denkt. Euch wird immer gesagt von Leuten, die das können, da müsse man viel „meditieren" und ähnlichen Nonsens mehr. Nichts von all dem stimmt! Ihr solltet natürlich entspannt sein dafür aber das geht genauso gut um 23 Uhr abends, kurz vor dem einschlafen, wenn ihr gemütlich im dunklen Zimmer unter der Bettdecke liegt. Da löst sich ja der Geist automatisch ein wenig, driftet in die 5. Dimension ab, damit sich Hirn und Körper erholen können. Hier werden dann die Informationen des Tages geordnet und verarbeitet, abgelegt.
Und bevor ihr diesen Wechsel vollzieht denkt einfach daran, dass eure Gedanken jetzt gleich schwingen mit denen einer gewissen Person.
Denkt ruhig und überzeugt daran, fühlt wie schön sich das anfüllt, wie die Energie zwischen euch dadurch zu fließen beginnt. Vielleicht hört ihr dabei bereits Wortfetzen etc. Das sind die Gedanken der betreffenden Person, von eurem Hirn interpretiert. Natürlich könnt ihr nun auch damit beginnen, Botschaften zu „senden". Jedoch werden diese meist unterbewusst wahrgenommen, rechnet also nicht damit, dass die Gegenstelle dies wirklich als „Stimme im Kopf" wahrnimmt und Antwort gibt.

Doch das ist eine Möglichkeit der direkten Beeinflussung – und eine sehr effektive noch dazu.

Ihr werdet diese Technik noch ausbauen. Wie gesagt aber ist diese Technik nichts, was NACH einer Schwingungserhöhung beginnt sich auszubilden, sondern das, was ihr JETZT wiederentdecken und euch zunutze machen müsst – DAS wird die Erhöhung, die Beschleunigung eurer Schwingungen bewirken.

Ich möchte nun abschließend euch auf den letzten Punkt hinweisen: Die Kommunikation mit UNS! Ihr könnt ganz einfach, ohne ein Zwischenmedium etc mit den Seelen aus der 7. Dimension reden. Ihr alle habt diese Fähigkeit in euch!

Und wir wollen jetzt, dass ihr sie wieder erlernt, es wird Zeit dazu. Unsere versteckten Hinweise überhört ihr, daher wählen wir nun diesen Weg. Wenn alles so läuft, wie wir es derzeit in Überlegungen vor uns sehen, wird diese einfache Botschaft schnell die Runde machen.
Nicht nur durch Weitergabe auf direktem und digitalem Weg. Aufgrund der Gedanken und der Gefühle, welche Menschen haben werden, wenn sie diese Techniken erlernen und wenn sie durch Lesen dieses Textes die Entstehung des Universums evtl. beginnen ein wenig besser zu verstehen, wird all dies auch in die 5. Ebene gelangen. Alle Gedanken werden dort sein und wenn die Menschen unterbewusst wieder miteinander sich austauschen ohne es zu merken, werden auch diese Gedanken übertragen werden.

Man wird bald gar nicht mehr wissen, dass es diesen Text gibt, aber das Wissen darin wird sich dennoch weiterverbreiten. Andere Leute werden angeregt, nach Antworten zu suchen und werden so von ihrem Geist wie von „Zauberhand" und doch nur den Gesetzmäßigkeiten folgend, zu dieser Dokumentation geführt werden.

Ohne Anfangsaufwand geht das natürlich nicht. Aber es besteht eine gute Chance, dass diese Alternative Zukunft zur Realität wird – WIR manifestieren es uns, helft uns dabei!

Dabei ist es nicht nur von Vorteil sondern geradezu wichtig, dass ihr mit uns reden könnt. Wenn ihr schon Erfahrungen in dieser Hinsicht hattet aber noch keine wirklich brauchbaren Ergebnisse ist es für die meisten von euch sehr schwer, das zu verstehen ich weiß. Ihr denkt dann, da gäbe es so viele verschiedene Techniken, wie man das anstellen kann. Ich denke ihr handelt da alle nach dem Credo „Warum einfach wenn's auch kompliziert geht?". Hab ich recht? Ihr denkt nämlich, weil die ganzen komplizierten Techniken nichts bringen, muss es NOCH viel schwieriger sein, können das nur wenige „auserwählte" Leute tun.
Falsch! Es ist unendlich einfach! Es baut doch nur auf Manifestation und mentaler Kommunikation auf!
Anstatt dass ihr euch mit irgend jemand anderem verbindet und dem seine Gedanken empfangt und ihm etwas ins Unterbewusstsein sendet, könnt ihr auch mit UNS Kontakt aufnehmen! Wir sind doch alle nur ganz normale Seelen! Nicht anderes!

Am besten und einfachsten geht dies natürlich mit eurer Mitseele. Diese euch ständig begleitende Seele ist so fest mit euch verbunden, dass ihre Gedanken direkt in euer Hirn kommen, eure Frequenzen schwingen immer gleich, da sie als Seelenbegleiter ihre Frequenz laufend der euren anpasst.

Somit entfällt für euch (wie auch bei verliebten) das lästige Manifestieren im Vorfeld, dass ihr eure Gedankenschwingung der des Partners angleichen müsst. Das erledigt eure Mitseele schon für euch. Ihr SEID gleich schwingend zu JEDER Zeit!

Also wie reden? Ganz einfach: Augen zu (am besten wieder abends im Bett probieren, kurz vor dem einschlafen), einmal durchatmen und sich nicht auf die Außenwelt konzentrieren. Nur eure Gedanken, euer Gedankenfluss ist jetzt wichtig. Und dann beginnt einfach zu reden! Alles, was ihr sagt, wenn ihr euch auf eure Gedanken konzentriert, wird eine Antwort erhalten. Ihr seid damit so vertraut, dass da eine art „Antwort" zurück kommt, dass ihr es meisten gar nicht wahrnimmt.

Am Anfang wird das Hirn ein wenig Schwierigkeiten zu haben, diese eigentlich im Unterbewusstsein landende Antwort auch in euer Bewusstsein zu übertragen. Vor allem, weil so viele von euch zweifeln.

Die meisten ersten Gehversuche laufen so ab: Der Mensch ist entspannt, denkt nur an sich und seine Gedanken und denkt dann etwas wie: „Hallo, ist da jemand?"

Und dann HORCHEN sie! Sie horchen und konzentrieren sich gedanklich so stark, dass das was sein MUSS, dass sie sich total abblocken gegen die

Antwort, die schon lange kam - die schon kam, als sie zu Ende gedacht hatten!
Die Antwort kann sein:
„Natürlich." Oder wenn eure Mitseele etwas gesprächiger ist so wie ich:
„Natürlich – aber es kommt darauf an, wie du „jemand" definierst".

Natürlich, wenn euer Geist noch nicht so weit ist für derartige Infos, würde es auch bei mir bei einem „natürlich" bleiben.
Aber ihr denkt dann, dass ihr mit euch selbst redet bzw. versteht gar nicht, dass diese Gedanken, die mit unter sich mehr wie Gefühle darstellen als richtige Gedanken, wirklich von UNS kommen und nicht von euch!

Ich habe gesehen dass die größten Erfolge in der Hinsicht bei Kindern im Alter von 10 bis 16 erreicht werden, die noch NIE mit irgend einem Esoterischen Mist in Berührung kamen, die bisher noch völlig in ihrer Welt leben.
Dass eure derzeitige Welt alles andere als vorteilhaft ist, muss ich wohl nicht erwähnen, aber viele wissen das gar nicht oder wollen es nicht wahrhaben. Und jene, die das entdeckt haben, landen meist sehr oft bei diesen alternden Hippies, die für sich in Anspruch nehmen, schon vor 40 Jahren angeblich den goldenen Apfel der Weisheit gegessen zu haben.
Findet man aber solche Menschen, die noch NICHT mit diesen ihnen das Hirn mit wirren Dingen voll stopfenden Leuten in Kontakt kamen, stellt man folgendes fest:

Nach einer guten Erklärung in dem Stil wie ich sie gerade beschrieben habe, und diese Menschen können fast augenblicklich mit ihrer Mitseele reden, solange sie sich nicht vor lauter Unglaube dagegen verschließen, wodurch auch diese nur denken würden, mit sich selbst zu reden.

Es ist WIRKLICH einfach. Natürlich könnt ihr auch auf andere Weise mit uns reden aber nie in diesem effizienten und direktem Maß und nie so einfach, wie ich es hier beschreibe.
Ich und mein Schützling sind bisher die ersten, die diesen einfachen Weg beschreiben. Doch es gilt bei uns als sicher, dass er sich durchsetzen wird, wenn nur der ganze Scharlatan aufhört, der in der „Szene" kursiert.

Auch darum wählten wir ja diese Möglichkeit mit euch allen zu reden, um auch vor allem Leute damit anzusprechen die NICHT in dieser Szene sind, welche noch in ihrem alten Leben festsitzen und zwar erkannt haben, dass etwas großes bevorsteht und sich einiges mit den Menschen ändern muss – jedoch aber noch „formbar" sind.

Auch jene, die bereits so weit sind, dass sie wissen oder zumindest glauben zu wissen, was bei euch schief läuft, könnten noch geformt werden.
Offen für neues sein, das fordern diese Menschen. Und das fordere ich jetzt auch von diesen! Hier spricht eine nicht inkarnierte Seele zu euch, die eine Aufgabe

hat und diese auch mit aller Konsequenz versuchen wird zu erfüllen.

Mit der Vollendung dieser Zeilen ist meine Hauptaufgabe vorbei. Ich werde dann nur noch wenn es unbedingt nötig ist auftreten und die restliche Arbeit von meinem Schutzbefohlenen erledigen lassen. Dann werden sich auch eine riesige Anzahl weiterer Seelen auch aus höheren Ebenen einschalten und versuchen, die Ereignisse so zu stellen, dass dieser Text die nötige Aufmerksamkeit bekommt.

Doch letztlich liegt es immer nur an euch! Es ist eure Entscheidung, ob ihr das hier jetzt gehörte verinnerlicht und dem für euch etwas abgewinnen könnt.

Einige werden sich fragen, warum ich euch erzählte, wie das Universum entstand, die Dimensionen etc. Dies tat ich, damit ihr einen groben Eindruck in die Abläufe bekommt. Damit ihr versteht wie alles grundlegend funktioniert, welche Gesetzmäßigkeiten und Kräfte hier am Werk sind.

Letztlich kann man sagen, man kann wirklich das ganze Universum in nur einem prägnanten Satz beschreiben:

<u>Alles ist Energie, die bestrebt ist, sich gegenseitig auszugleichen, so dass letztlich alles im Gleichgewicht liegt</u>

Alles ist Energie. Materie wie alles darüber liegende, ebenfalls auch die Seelen, auch ihr, auch ich. Und wir alle sind bestrebt, ausgeglichen mit allem zu sein. Gegensätze entstehen, damit in der Mitte die Ausgeglichenheit herrschen kann. Die 13. Dimension als Auslagerung für jene Energie, welche dem kosmischen Prinzip zuwiderläuft, bildete sich, weil auf der einen Seite die Liebe sinnbildlich für die kosmische Ausgeglichenheit steht und auf der anderen Seite der Hass. So hält sich das Universum selbst zusammen, alles ist in Selbstorganisation.

Und auch die Existenz von Seelen, von „denkender Energie", ist nichts anderes als ein Prozess der Selbstorganisation. Letztendlich sind wir nämlich nach wie vor alle nur Teil der großen Ursuppe an Energie, die für unendliche Ewigkeiten starr im „nichts" lag, bis die erste Schwingung, der erste „Gedanken" der Existenz sie durchdrang.

Und weil wir alle Teil des ursprünglichen Ganzen sind, weil wir alle nach dem selben streben, ist es nun an uns und vor allem an EUCH, die ihr in der Materie seit, einen Wandel einzuleiten.

Natürlich geht es auch weiter mit uns allen, wenn ihr es nicht tut. Wenn dieser Text in Vergessenheit gerät, zu „Datenmüll" wird, er nicht ernst genommen wird oder ihn nicht versteht.

Andere werden versuchen, euch zum Aufwachen zu bringen. Und sollten sie alle letztlich scheitern, so geht es mit uns als Seelen auch nach einem „aussterben" der Menschen weiter.

Nur können wir dann sicher viele Millionen wenn nicht eine Milliarde Jahre warten, bis sich wieder ein Leben von der des Menschen natürlich entwickelt, die so perfekt geeignet ist, die Entwicklung des Universums voranzutreiben, es näher an die allumfassende Ausgeglichenheit zu führen.

Die 13. Ebene muss verschwinden. Immer noch kommen neue Seelen dorthin.
Ich sagte ja vorhin dass sich dort nur noch alte Seelen befinden. Im Grunde stimmt das auch – aber nur weil die Anzahl der neuen Seelen im Vergleich mit den dort verweilenden Alten gar nicht ins Gewicht fällt. Sprich nach euren einfachen und nach kosmischen Maßstäben wären dort „nur" alte Seelen.
Aber für euch persönlich macht es sicher einen Unterschied, wenn man euch nach dem Tod den Zugang zur geistigen Welt verwehrt nach dem Motto: „Du nicht, du bist nicht mehr geeignet."
Diese 13. Ebene wieder aufzulösen geht nur, wenn diese alten Seelen erstarren, weil sie keine Energie mehr bekommen. Euer Planet ist die Hauptquelle dieser Ebene, nur durch EUCH können sie noch existieren!
Natürlich werden viele die Schwingungserhöhung nicht packen und weiterhin diese „andere Seite der Medaille intelligenten Lebens" nähren. Doch wenn auch nur 500 Millionen von euch die Schwingungserhöhung überstehen würden, wäre genug Energie dieser 13. Dimension entzogen, um die Seelen dort „erstarren" zu lassen.

Ihre Schwingung wird fast nicht mehr bemerkbar sein und ohne Schwingung, ohne Bewegung, gibt es keine Existenz.
Dies bedeutet natürlich im Umkehrschluss, dass sich das Gesicht des Universums erheblich verändern würde. Weil die 13. Ebene existiert so lange, wie das Universum einen Ausgleichspunkt finden muss zwischen Liebe und Hass.

Negative Gefühle wird man aufgrund des Spiels der Polaritäten niemals auslöschen können. Aber das langfristige Ziel von uns ist eine Anpassung. Das Universum soll sich daran anpassen, dass es INNERHALB der 12 Dimensionen das Spiel zwischen diesen beiden Extremen betreibt. So wäre gewährleistet dass keine Seele mehr „verloren geht" und auch keine „verlorenen Seelen" mehr ziellos und planlos durch die 13. Eben laufen.

Viele dieser Seelen wissen z.B. nicht einmal, dass sie gestorben sind, erleben das Elend ihrer Existenz auf Erden wieder und wieder ohne wirklich inkarniert zu sein.

Wieder andere sind einfach nur in ewiger Agonie, unfähig auch nur ansatzweise etwas positives sehen oder fühlen zu können – diese saugen sich von euch die Energie, die für euch bestimmt war, manipulieren euch, verleiten euch dazu, näher zu ihnen zu rücken.

Solang diese Ebene noch existiert, solange wird der Kreislauf weitergehen. Doch die Zeit ist da, dass ein neuer Kreislauf beginnt und es soll hier auf der Erde den Anfang nehmen. Denn wenn keine Seelen mehr sich in dieser letzten Ebene verlieren, so ist einer jeden die Möglichkeit gegeben, Fehler wieder gut zu machen. Selbst eure schlimmsten Despoten der letzten 100 Jahre haben sich nach ihrem Ende dieser Möglichkeit bedient und sind erneut inkarniert, manche hier und manche andernorts.

Ich möchte diese Dokumentation mit einem weiteren Ausblick in die oberen Ebenen ausklingen lassen. Vielleicht ist bei einigen die Frage aufgekommen, was denn der Sinn von allem ist. Ich denke das ist mit dem

Streben nach der allumfassenden, kosmischen Ausgeglichenheit ziemlich gut beantwortet.

Die Selbstorganisation von einfach allem führt uns dazu, uns zu entwickeln, Erfahrung zu sammeln, einfach zu existieren und zu sein. Die Erfahrungen, die Informationen die wir dabei erhalten, stehen uns allen zur Verfügung. So ist ein ewiger, sich entwickelnder Kreislauf gegeben. Und wer sich nun fragt, wie das All in ungefähr 2 oder 3 Milliarden Jahren aussehen wird, dem kann ich nur sagen: Völlig anders als heute. Aber immer noch nach den ganzen Gesetzen ablaufend wie sie schon immer existierten und nach wie vor existieren werden.

Es wird nach wie vor 12 Dimensionen geben und nach wie vor Materie. Mit Sicherheit auch noch Leben und natürlich auch uns. Uns alle wird es dann nach wie vor geben, wobei „uns" unsere Seelen, den kompletten Kuchen meint.

Das ultimative „Ende" des Universums ist auch eine Sache die viele Wissenschaftler bei euch beschäftigt. Wird es sich ewig ausdehnen? Wird es wieder zusammenwachsen? Zum Stillstand kommen? Ich denke wenn ihr den Text gut gelesen habt wisst ihr die Antwort. Es kann keinen Stillstand geben. Sollte er eintreffen, würde ALLES aufhören zu sein, wie es ist.

Letzten Endes wird das Universum natürlich irgendwann „erkalten" – der erste Gedanke, der Gedanke aller Gedanken, der „Existenz" zu Ende gedacht sein. Dann ist alles erfahren, was erfahren werden konnte. Dann gibt es kein „leben" mehr wie wir es kennen. Das Hintergrundrauschen wird erlöschen und alles so erstarren, wie es ist.

Was dann bleiben wird, wird ein Raum sein. Ein Raum ohne Zeit und ohne Möglichkeit sich darin zu bewegen. Alles wird starr sein.
Doch die Energie wird nach wie vor dort sein. Woher diese kam und wohin diese geht, was dann mit uns allen passieren wird, ist eine Frage, welche ihr nicht mir stellen dürft. So etwas wissen nur die Seelen auf der 12. Ebene und diese werden es nicht einmal ansatzweise erklären, vertraut mir.
Niemand außer diesen weiß, woher all die Energie einst kam und wohin wir alle gehen werden. Der letztendliche Sinn von allem ist etwas, worüber sich niemand von uns Gedanken machen sollte, nicht mal in der geistigen Welt. Es reicht zu wissen, dass wir alle existieren, um „den Laden am Laufen" zu halten und um Erfahrung und Wissen zu sammeln, die Entwicklung voranzutreiben.

Wir sind das Herz, das Hirn, der Puls und die Organe des Universums, quasi der ganze Organismus, dass, was es ausmacht. Nur werden wir zum Schluss nicht zu Staub zerfallen sondern all dies dient einem Plan. Der Plan den ihr verfolgt dient eurem persönlichen Lebensplan. Der Plan den die Menschheit verfolgen soll dem Planetarischen. Bzw. dem kosmischen Plan, denn euer Wirken ist derzeit wirklich von kosmischer Wichtigkeit!
Aber alles was ist und warum es so ist, wie es ist – das sind Fragen, die ÜBERkosmisch sind. Und alles, was über dies hinausgehen, wissen wirklich nur 2 von schier unendlich vielen Seelen. Diese beiden würdet ihr als „Gott" bezeichnen aber sie haben absolut nichts „göttliches" an sich, sie sind genauso wie eure Seelen,

wie auch ich aufgebaut und machen auch nur „ihren Job".

Macht euch darüber keine Gedanken, auch wir tun das nicht. Versucht durch diese Dokumentation ein wenig mehr die Zusammenhänge in der Welt zu verstehen, versucht EUCH ein wenig besser zu verstehen und versucht, was ich euch über eure Fähigkeiten und über die wichtige Zeit, die nun bevorsteht, zu verinnerlichen.

Wir alle können euch dazu nicht zwingen. Doch wir zeigen auch hiermit dass wir nichts unversucht lassen, denn die Alternative ist nicht wirklich wünschenswert. Und ihr habt so viel Potential, das bisher brach herum liegt. Dies zu aktivieren, euch bei dieser Aktivierung zu helfen, ist unsere Aufgabe.

Ich hoffe ich konnte euch ein paar interessante und vielleicht auch neue Eindrücke in eure und auch in unsere – vor allem aber in unsere Gemeinsame Welt geben. Den Blick in eine Welt, die ihr sonst nicht sehen, aber sehr wohl unterbewusst fühlen könnt. Wir sind alle Teil dieses Ganzen. Es ist nun an euch aus diesem Wissen etwas zu machen. Denn dies alles ist nur ein winzig kleiner, unheimlich grober, erster Überblick gewesen. Wir haben noch nicht einmal groß an der Oberfläche gekratzt. Doch für euren Verstand und das, was bevorsteht, reicht dies als Rüstzeug völlig aus. Mehr müsst ihr gar nicht wissen, alles andere wird von selbst zu euch gelangen, wie auch dieser Text den Weg zu euch gefunden hat.